editorial
Redak

Max Frisch, am 15. Mai 1911 in Zürich geboren, starb dort am 4. April 1991. 1976 erschienen seine *Gesammelten Werke in zeitlicher Folge* im Suhrkamp Verlag.

Santa Cruz wurde am 7. 3. 1946, *Nun singen sie wieder* am 29. 3. 1945 am Schauspielhaus Zürich uraufgeführt.

Bereits in Frischs ersten Stücken scheint die Frage auf, die sein ganzes Werk bis heute bestimmt: die Frage nach der Identität. Sie wird in unermüdlichen Versuchen ständig variiert, sie beherrscht das Werk und gibt ihm Einheit. *Santa Cruz:* das ist die Spannung zwischen dem Leben, das einer Erwartung entsprechen möchte, die Liebende einander abfordern, und dem Leben, das sucht, zu sich selbst zu kommen. *Nun singen sie wieder:* das ist ein Stück, in dem die Sieger auf den Gräbern der Gefallenen Rache schwören, nach der die Toten kein Verlangen haben.

»Max Frisch ist zwischen Fährnissen und Gräbern, zwischen Sonnen und Dämmerungen, zwischen Schauen und Traum ein Künder realsten Lebens.« *Heinz Hilpert*

Max Frisch
Frühe Stücke

Santa Cruz
Nun singen sie wieder

Suhrkamp Verlag

Geschrieben
Santa Cruz 1944
Nun singen sie wieder 1945

edition suhrkamp 154
Erste Auflage 1966
© dieser Ausgabe: Suhrkamp Verlag, Frankfurt am Main 1966. Copyright
der einzelnen Stücke: *Santa Cruz* Copyright 1947 by Benno Schwabe &
Co., Klosterberg, Basel; *Nun singen sie wieder* Copyright 1946 by Benno
Schwabe & Co., Klosterberg, Basel. Printed in Germany. Alle Rechte vor-
behalten durch Suhrkamp Verlag, insbesondere das der Übersetzung, des
öffentlichen Vortrags, des Rundfunkvortrags, der Fernsehausstrahlung und
der Verfilmung, auch einzelner Abschnitte. Das Recht der Aufführung ist
nur vom Suhrkamp Verlag, Frankfurt am Main zu erwerben. Den Büh-
nen und Vereinen gegenüber als Manuskript gedruckt. Satz, in Linotype
Garamond, Druck und Bindung bei Nomos Verlagsgesellschaft, Baden-
Baden. Gesamtausstattung Willy Fleckhaus.

16 17 18 19 – 96 95

Santa Cruz
Eine Romanze

Elvira, *eine Frau von fünfunddreißig Jahren*
Viola, *ihre Tochter*
Der Rittmeister, *ihr Gatte*
Pelegrin, *ein Vagant*
Eine Wirtin
Ein Doktor
Ein Diener
Ein Schreiber
Ein Bursche
Ein Neger
Ein Gendarm
Pedro, *ein gefesselter Poet*
Pächter
Matrosen
Totengräber

Das Stück spielt in sieben Tagen und in siebzehn Jahren.

Vorspiel

In einer Pinte
Auf der einen Seite sitzen die Bauern und spielen Karten,
langweilig und stumpf. Auf der andern Seite, im Vorder-
grund, sehen wir den Doktor und den Vaganten, der auf
dem Tische hockt, Gitarre spielt und summt.

VAGANT Ein javanisches Lied... das haben sie immer gesungen, die Matrosen, diese braunen Teufel mit den Katzenaugen, wenn wir droben auf dem Achterdeck lagen und
nicht schlafen konnten vor Hitze! Wir fuhren um das Große
Kap, wir fuhren sieben Wochen lang, unsere Fässer stanken
zum Himmel, aber der Mond hing wie ein silberner Gong
über dem Meer, er hing wie ein Lampion zwischen den
Masten... da haben sie es immer gesungen, Nächte lang,
all die Nächte ohne Wind...
Er summt es noch einmal.

DOKTOR Josephine?
Ein Mann ist eingetreten und schüttelt seinen Mantel ab.

MANN Uh! wie das schneit... Drüben im Kirchhof haben sie
schon wieder ein Begräbnis, lieber Doktor! Als sie da
kamen mit Weihrauch und Sang, die Leiche voran, nun
finden sie, Gott verdamm mich, das Grab nicht mehr – so
schneit es da draußen.
Er setzt sich.
Mir einen Kirsch.

DOKTOR Und hier, Josephine, noch eine Flasche!
Die Wirtin geht.

VAGANT Sie hat mich geliebt.

DOKTOR Wer?

VAGANT Mag sein, ich habe mich wie ein Schuft benommen,
damals vor siebzehn Jahren, und dennoch, mein lieber
Doktor, glauben Sie es mir, – so wie man ein Wunder
glaubt, bedingungslos: sie hat mich geliebt!

DOKTOR Wer?

VAGANT Ich wußte kein anderes Mittel, sie wiederzusehen; ich brauchte ein Schiff, das erste beste – wir haben es gekapert, als es vor Marokko lag. Die armen Franzosen! Wir schleiften sie über Bord, besoffen wie sie waren, platsch, platsch, platsch! Das Wappen übermalten wir ... wir hißten die Segel, und dreizehn Wochen lang fuhr ich ihr nach.

DOKTOR Wem?

VAGANT Daß ich nicht lache, wenn ich an ihren Herrn Vater denke! Ich habe eine Perle von Tochter, sagte er: Ihr aber, meine Burschen, ihr seid es nicht wert, sie anzusehen! Wo ist sie denn? fragte ich. Das geht dich nichts an, brummte der alte Herr: sie ist verlobt.

DOKTOR Verlobt?

VAGANT Mit einem Edelmann, mit einem Rittmeister!

DOKTOR Im Ernst?

VAGANT Im Ernst: noch in der gleichen Nacht war sie auf meinem Schiff, in meinen Armen, in meiner Kajüte – –

DOKTOR Wer?

VAGANT Elvira, ein herrliches Mädchen.

DOKTOR Elvira? Unsere Rittmeisterin? Unsere Herrin vom Schloß?

VAGANT Still!

Die Wirtin bringt eine neue Flasche.

WIRTIN Herrschaften, das ist meine letzte Flasche.

DOKTOR Unser Freund hat Durst.

WIRTIN So scheint es.

DOKTOR Unser Freund, müssen Sie wissen, ist weit in der Welt herumgekommen, hat mehr erlebt, als eine Josephine träumen kann. –

WIRTIN Wissen Sie denn, was ich träumen kann?

DOKTOR Herumgekommen, sage ich, bis ihn das Fieber erwischt hat.

WIRTIN Das Fieber?

DOKTOR Ein ganzes Jahr hat er nichts trinken dürfen, müssen Sie wissen – heute feiern wir seine Genesung!

WIRTIN Ich gratuliere ...

Sie füllt die Gläser.

Wenn es wahr ist.

VAGANT Und ob es wahr ist!

WIRTIN Wollen es hoffen, Herr. Er hat drum schon vieles geplaudert, der liebe Doktor, er meint es gut mit den Menschen, drum lügt er so oft.

VAGANT Sie können getrost sein, Frau, er hat nicht gelogen, kein Wort.

WIRTIN Woher wissen Sie das?

VAGANT Woher! Weil er kein Wort gesprochen hat, ich selber habe es ihm sagen müssen, daß ich gesund bin!

WIRTIN Ja dann ...

VAGANT Gesunder als je seit meiner Geburt!

WIRTIN Wohl bekomms.

Sie setzt sich ein wenig.

Es war auch schon anders, wissen Sie, da hat man getrunken und gelacht, Genesung gefeiert, wir kennen das nämlich, und einen Monat später lag er drüben im Kirchhof, jedesmal, der andere mit der Genesung ... Nun ja, ich erzähle ja nur ... Und alles das, verstehen Sie, aus purer Menschenliebe; er heilt an den Leuten herum, bis es hoffnungslos ist, und dann übernimmt ihn jedesmal sein gutes Herz: Warum sollen sie nicht lustig sein, sagt er, die Hoffnungslosen?

VAGANT Sie können getrost sein, gute Frau –

WIRTIN Ich weiß, ich weiß!

VAGANT In einem Monat? sagen Sie.

WIRTIN Jesses Maria, verstehen Sie mich recht! ...

Er lacht.

VAGANT In einem Monat, gute Frau, bin ich schon lange wieder draußen auf dem Meer!

Er trinkt.

Im Ernst, lieber Doktor, in Kuba gibt es eine Farm, verlassen, verbrannt und verdorrt, eine Farm, die auf mich wartet, um Früchte zu tragen, Früchte: Ananas, Pfirsich, Pflaumen, Feigen, Trauben! In einem Monat fährt das Schiff . . . in einem Jahr, bei meiner Ehre, bekommt ihr den ersten Kaffee!

WIRTIN Kaffee?

VAGANT All diese Wochen, als ich da oben lag, krank und verloren, verdammt in einer Hölle von Fieber, ein Gefangener in eurem Krankenhaus, und jeder, der mir ein gutes Wort sagte, er wurde verlegen, denn er hielt es für eine Lüge, daß ich noch einmal gesund würde, daß ich noch einmal auf diesen Beinen stehe, gehe, wohin es mich zieht . . . all diese Wochen, die nun vergangen sind: Noch einmal eine Flasche trinken, dachte ich immer, noch einmal unter lebenden Menschen sein! . . .

DOKTOR Ich weiß, das sagten Sie oft.

VAGANT Und nun?

DOKTOR Noch ist die Flasche nicht leer –

VAGANT Schau einer diese Leute an!

DOKTOR Ich sehe sie.

VAGANT Warum leben sie nicht?

DOKTOR Wie meinen Sie das?

VAGANT Das Leben ist kurz. Wissen sie es nicht? Warum singen sie nicht? Warum leben sie nicht? . . . leben – –
Lärm bei den Bauern.

ERSTER Ich sage dir, leck mich am Arsch!

ZWEITER Morgen bringe ich die Ochsen –

ERSTER Ich füttere sie nicht, das habe ich schon vorgestern auf dem Markte gesagt, und wenn sie mir der Teufel in den Stall bringt, ich füttere sie nicht –

DRITTER Im Frühling, wenn man sie vor den Pflug spannen kann, im Frühling, bist du auch froh darum.

ERSTER Im Frühling!

DRITTER Der Rittmeister hat es gut gemeint –

ERSTER Gut gemeint! Ochsen kaufen kann jeder, wenn er Geld hat. Und wenn der Pächter sie füttern muß! Nächste Woche ist Martini, und ins Gesicht sagen werde ich es unserem Rittmeister, ins Gesicht: Gut meinen und gut handeln, Euer Gnaden, das ist zweierlei!

DRITTER Mit solchen Reden verderben wir alles ...

ERSTER Trumpf ...

Sie spielen weiter, wortlos, aber mit Schlag auf den Tisch.

VAGANT Was sind das für Herren?

WIRTIN Pächtersleute.

DOKTOR Sie gehören zum Schloß.

VAGANT Zum Schloß?

DOKTOR Wie das Roß an den Karren.

WIRTIN Seit Monaten streiten die allabendlich um die beiden Ochsen, die ihnen der Rittmeister gekauft hat; bald wäre es das beste, man würde die Ochsen fragen, was mit ihnen geschehen soll ...

VAGANT Der Rittmeister, sagen Sie?

WIRTIN Unser Rittmeister! wie die Leute hier sagen. Unser Schloß! Und dabei hat keiner noch das Schloß betreten, sein Lebtag nicht.

VAGANT Warum nicht?

WIRTIN Die lassen schon keinen herein. Außer den Pächtern natürlich, wenn sie an Martini ihre Gans bringen.

VAGANT Und warum lassen sie keinen herein?

WIRTIN Warum? Gehen Sie hin und fragen Sie, wenn Sie es wissen wollen; versuchen Sie es, der Rittmeister wird eine tolle Freude haben an Ihnen!

VAGANT Warum?

WIRTIN Ein Mann der Ordnung, wie er ist, das Gegenteil von einem Vaganten ...

VAGANT Wie sieht er eigentlich aus?

WIRTIN Der Rittmeister?

VAGANT So – sagen wir: wie ein Adler, der eine Tabakpfeife raucht?

DOKTOR Genau so!

WIRTIN Wie ein Adler, der eine Tabakpfeife raucht –

VAGANT Und Kinder hat er auch?

DOKTOR Ein Töchterlein.

VAGANT Ah –

DOKTOR Verwundert es Sie?

VAGANT Ein Töchterlein . . .

WIRTIN Man munkelt allerlei, wenn Sie es wissen wollen,
man munkelt allerlei, es gleicht dem Vater sehr wenig, das
holde Kind . . . ich erzähle ja nur, was man so sagt, meiner
Seel, auch eine Rittmeisterin ist eine Frau, auch eine Rittmeisterin ist einmal jung gewesen!

VAGANT Nun ist sie es nicht mehr? . . .

WIRTIN Er sagt das fürwahr, als täte es ihm leid! Auch die,
kann ich Ihnen sagen, auch die ist weit in der Welt herum-
gefahren –

VAGANT Wenn ich noch eines fragen darf.

WIRTIN Was denn?

VAGANT Wie heißt sie denn eigentlich?

WIRTIN Wer?

VAGANT Die Mutter, die Rittmeisterin, die Herrin, die Gattin,
die drüben auf dem Schlosse wohnt.

WIRTIN Warum müssen Sie das wissen?

VAGANT . . . Elvira?

WIRTIN Mir scheint, mein Herr, Sie wissen Bescheid!

VAGANT Oh . . . nicht eigentlich –

Er zupft an der Gitarre.

Ein schöner Name.

Für eine Dame.

Man hört Gepolter von Schuhen.

WIRTIN Jesses, Jesses, wer kommt denn da?

Die Wirtin geht hinaus.

DOKTOR Sie scheinen betroffen, mein Freund.

VAGANT Ich gehe aufs Schloß.

DOKTOR Sie? Im Ernst?

VAGANT Ich gehe aufs Schloß.

DOKTOR Sie meinen, man werde Sie empfangen?

VAGANT Noch einmal unter lebenden Menschen sein ... Sie meinen: von wegen meiner Schuhe, von wegen meiner Jacke? Sie hat mich geliebt. So, wie ich bin. Warum sollen wir einander nicht grüßen? ... Mehr will ich nicht ... Einmal, eine Weile lang, sind wir allein, Elvira und ich. Ich halte die Kerzen. Ich küsse sie nicht. Entweihen wir nicht das Gewesene. Wiederholen wir nichts. Ich sehe, sie atmet. Das sei mir genug. Und morgen reise ich weiter.

DOKTOR So wird es sein, genau so!

VAGANT Wie immer es sein wird, lieber Doktor, es ist das Leben, noch einmal das Leben –

Zwei Männer sind eingetreten und stellen ihre Spaten an die Wand.

DER MANN Nun, meine Herren Totengräber, habt ihr es gefunden?

DER LANGE Was sollen wir gefunden haben?

DER MANN Ich meine das Grab.

DER KURZE Teufel noch mal, ein Klafter tief haben wir gegraben und geschaufelt heute morgen, ein Grab, wie es besser nicht geschaufelt werden kann; seit ich begnadigt worden bin, habe ich an die siebzig Gräber geschaufelt –

DER LANGE Und wie sie es gefunden haben!

DER KURZE Der Pfaff hat es gefunden.

DER MANN Wie das?

DER LANGE Sehr einfach, mein Bester, sehr einfach –

DER KURZE Auf einmal, seinen Text in der Hand, versank er im Schnee – schwupp! mitsamt seinem Trost.

DER LANGE So ist es recht, ein Schnaps, ein tüchtiger Schnaps ...

Die Bauern, die über ihre Karten hinweg zugehört haben, geben die Geschichte herum.

ERSTER Wer?

ZWEITER Der Pfaff!

Gelächter der Bauern

WIRTIN Heda? Wo geht er hin? Was soll das denn heißen? Heda! Wohin mit der Gitarre? . . . Heda? . . . Vagant! . . . *Die Wirtin läuft ihm nach.*

DER LANGE Das muß ich sagen, Doktor, ihr macht uns viel Arbeit mit eurer Heilkunst da droben. Arbeit ist Verdienst, sage ich, ihr müßt mich verstehen, und ehrlicher Verdienst, sage ich, denn man arbeitet dafür, einen lieben kalten Morgen lang, und sterben müssen die Leute ja sowieso. Warum sollen sie nicht hierher kommen, um es zu tun – wir leben davon, sage ich mir . . . *Die Wirtin kommt zurück.*

WIRTIN So ein Halunke! Läuft er einfach davon, der Vagant! Mit meiner Gitarre! . . . Sie können lachen, es ist meine Gitarre, nicht Ihre Gitarre!

DOKTOR Ich lache ja gar nicht.

WIRTIN Läuft er einfach davon –

DOKTOR Keine Sorge, Josephine! Die Gitarre bekommen Sie wieder.

WIRTIN Das sagen Sie so –

DOKTOR Ich bürge dafür.

WIRTIN Wann? Wann?

DOKTOR Sehr bald.

WIRTIN Und wie? möchte ich wissen. Wie?

DOKTOR Sie wird nicht weit gelangen, die Gitarre, nicht weiter als er –

WIRTIN Was soll das heißen?
Sie erblickt etwas auf dem Tisch.
Und das?

DOKTOR Seine Bezahlung: eine Koralle.

WIRTIN Eine Koralle?

DER LANGE Eine wirkliche Koralle?

DER KURZE Ich habe noch nie eine Koralle gesehen.
Die Totengräber kommen herzu.

DER KURZE Hast du schon einmal eine Koralle gesehen?

WIRTIN So ein Vagant . . .

Sie betrachten das Ding.

DOKTOR Er will ein Ständchen bringen, verstehen Sie, drüben auf dem Schloß.

WIRTIN Meint er, sie lassen ihn herein?

DOKTOR Er meint es.

WIRTIN Mit meiner Gitarre! Wenn er beim Gesinde hocken darf, drunten in der Küche, dann ist es viel.

Man hört Musik, das javanische Lied.

DOKTOR Hören Sie? So ist ihm zumute, ein wunderbarer Zustand, eine Euphorie, wie sie im Buche steht; alles erscheint ihm so möglich und leicht, er fühlt sich voll Leben, mehr als wir alle zusammen, voll Musik ...

WIRTIN Auch der?

DOKTOR Auch der.

WIRTIN In einem Monat?

DOKTOR In einer Woche.

Die Wirtin bekreuzigt sich.

DER LANGE Aus aller Herren Länder kommen sie; wir aber leben davon, sage ich mir ...

WIRTIN In einer Woche? ...

DOKTOR Fast beneide ich ihn.

WIRTIN Daß er nur noch eine Woche lang lebt?

DOKTOR Sagen wir: daß er eine Woche lang lebt ...

Erster Akt

Im Schloß
Der Rittmeister steht und stopft sich eine Pfeife. Ein
Schreiber sitzt am Tisch, wo die Kerzen stehen. Ein Bursche
wartet.

RITTMEISTER Das ist alles, Kurt, was ich dir sagen muß. Der
Fall ist klar. Reden wir nicht mehr davon . . . Dort ist dein
Lohn.

BURSCHE Euer Gnaden wollen mich entlassen?

RITTMEISTER Ordnung muß sein.

Er zündet sich die Pfeife an.

Ordnung muß sein. Acht Jahre lang bist du nun mein
Pferdebursch gewesen —

BURSCHE Acht und ein halbes.

RITTMEISTER Und jeden Tag, wenn du mir diesen Beutel hast
füllen müssen, jedesmal hast du, wie ich heute erfahren
muß, eine Handvoll von meinem Tabak gestohlen, acht
und ein halbes Jahr lang.

BURSCHE Euer Gnaden, es tut mir leid.

RITTMEISTER Mir auch, Kurt.

BURSCHE Ich weiß, ich hätte es nicht tun sollen; übrigens war
es nicht eine Handvoll, wie Euer Gnaden sagen, sondern
eine Prise, nur eine Prise, das ist ein Unterschied, immerhin, das macht etwas aus, Euer Gnaden, acht und ein halbes
Jahr lang —

RITTMEISTER Ich mochte dich gut. Ein fröhlicher Bursche bist
du gewesen. Nicht viele gibt es, die in diesem Hause singen,
acht Jahre lang. Die meisten verlernen es nach und nach;
sie meinen, weil ich selber nicht singen kann, ich möge das
Singen nicht . . . Du hast die Pferde gut besorgt, ich hatte
nie einen besseren Burschen.

BURSCHE Euer Gnaden sagten es oft.

RITTMEISTER Es tut mir leid, dich zu entlassen.

BURSCHE Und wenn ich den Tabak zurückgebe? Man könnte ausrechnen, wieviel das macht, acht und ein halbes Jahr lang, jeden Tag eine Prise – und ich gäbe es in der gleichen Sorte!

RITTMEISTER Es geht nicht um den Tabak, junger Mann.

BURSCHE Warum wollen Euer Gnaden mich denn entlassen, wenn es nicht um den Tabak geht?

RITTMEISTER Ordnung muß sein.

Im Ton des Anfangs: Dort ist dein Lohn. Die Nacht kannst du im Hause bleiben. Aber morgen, wie gesagt, ich möchte dich nicht mehr treffen.

Der Bursche nimmt seinen Lohn und geht.

Es tut mir leid. Wenn ich ihm verzeihe, er würde sich denken, ich täte es am Ende nur darum, damit ich keinen neuen Burschen suchen muß, und hätte er vielleicht nicht recht? Es wäre bequemer für mich, in der Tat, aber ihm täte ich einen schlechten Dienst: er würde frech. Er braucht einen Herrn, den er achten kann; er wird sich selber nicht Herr.

Zum Schreiber: Wo sind wir stehen geblieben?

SCHREIBER »Drittens, was die beiden Ochsen betrifft, die ich gekauft habe, damit ihr sie im Frühling vor den Pflug spannen könnt, und nun, da es Winter ist, will keiner sie füttern.«

RITTMEISTER Ich rate Euch, nehmt euren Verstand zusammen und euren guten Willen dazu, damit es reicht. Ich muß es auch, damit wir miteinander leben können, jeglichen Tag. Übermorgen ist Martini; wenn ihr auf das Schloß kommt, werden wir reden darüber.

Der Schreiber schreibt noch.

Das ist alles. – Oder schreibe noch: Was die Klauenseuche betrifft, die uns soviel Sorgen macht –

SCHREIBER »Die uns soviel Sorgen macht . . .«

RITTMEISTER Wenn ihr die Viecher, wie ich neulich habe sehen müssen, Schnaps saufen laßt und weiß Gott welche Wunder davon erwartet, so ist es verlorener Schnaps! Bürstet die Tiere, wie ich befohlen habe, und dann sauft ihn selber, euren Schnaps – erst aber bürstet das Vieh!

Er wendet sich weg.

Das ist alles für heute. –

SCHREIBER Nur noch das Tagebuch.

RITTMEISTER Damit verschone mich!

SCHREIBER Euer Gnaden, noch die ganze Woche ist leer.

Der Rittmeister setzt sich.

RITTMEISTER Was erlebt schon unsereiner in einer Woche? Die Tage werden kürzer, Pflichten wie Schnee, nicht einmal reiten, nicht einmal das Abenteuerchen einer Hasenjagd... Sonntag, am soundsovielten, Geburtstag meiner lieben Frau, wir haben eine Gans gegessen, wunderbar... ferner: Habe meinen Pferdeburschen entlassen... ferner: Ordnung muß sein...

SCHREIBER »Ordnung muß sein.«

RITTMEISTER Mensch! du schreibst??

SCHREIBER »Was erlebt ein Rittmeister in einer Woche.«

RITTMEISTER Schweig!

SCHREIBER Ich dachte gewiß, Ihr redet die Wahrheit.

RITTMEISTER Laß es stehen. Aber lies es niemandem vor, lies es mir selber nicht vor... Und mach, daß du zu deinem Feierabend kommst! Es ist wieder spät geworden.

Der Schreiber packt zusammen, verneigt sich und geht.

Ich sehe das Jüngste Gericht: neben dem Herrgott, der meinen Namen gesprochen, steht dieser Spitzbub von Schreiber, Posaunen ertönen: er liest vor – Ordnung muß sein, Ordnung muß sein... allen Engeln des Himmels, mir selber, noch bleich vom Sterben, liest er vor.

Ein Diener ist eingetreten.

Was gibt es schon wieder?

DIENER Ich störe Euer Gnaden?

RITTMEISTER Du bringst das Holz, das ist recht.

DIENER Ich dachte: es schneit . . . draußen –

RITTMEISTER Das tut es, ja, sieben Tage schon.

DIENER Und sieben Nächte.

Er steht mit dem Holz im Arm.

Sieben Tage und sieben Nächte schon schneit es. Das ist noch niemals vorgekommen. Es schneit eine Stille ringsum, die immer höher und höher wird. Es schneit auf den Wald, auf die Wege, auf jeden Stein und jeden Zweig und jeden Pfosten schneit es; Stille, nichts als Stille und Schnee; sieben Tage schon und sieben Nächte. Wo man hinschaut, schneit es. Sogar auf die Eiszapfen schneit es. Und es schneit auf den Bach, und alles verstummt . . .

Er starrt vor sich hin.

Euer Gnaden?

RITTMEISTER Ja?

DIENER Unser Brunnen im Hof ist nicht mehr. –

RITTMEISTER Hast du Angst?

DIENER Angst?

Er kniet und macht Feuer im Kamin.

Drunten in der Küche, wir sitzen alle drunten in der Küche, seit letzten Sonntag ist keiner mehr in seine Kammer gegangen, jeder sagt, seine Kammer sei kalt und der Schnee treibe unter den Ziegeln herein, und da schlafen wir nun alle drunten in der Küche, die Kinderlein schlafen in einem Gemüsekorb, dieweil wir oft die halbe Nacht lang schwatzen, und Josef sagt, das sei noch niemals vorgekommen, daß es so lange habe schneien können. Sieben Tage und sieben Nächte ohne Unterlaß, das bedeute was, sagen sie, und nur der Fremdling, der mit seiner Gitarre auf dem Tische sitzt, lacht uns allemal aus . . .

Er dreht sich.

Euer Gnaden, das ist ein wunderlicher Mensch!

RITTMEISTER Wer?

DIENER Der Fremdling, der mit der Gitarre auf dem Tische sitzt und uns von nackenden Völkern erzählt, die den

Schnee überhaupt nicht kennen, auch keine Angst, auch keine Pflichten, keine Zinsen, keine schlechten Zähne. Das gibt es. Und es gibt Berge, die Schwefel und Rauch und glühende Steine in den blauen Himmel speien, einfach so; er hat es selber gesehen. So heiß ist unsere Erde im Innern. Und Fische gibt es, welche fliegen können, wenn sie wollen, und unten im Meer, sagt er, wenn man emporschaut, da glitzert die Sonne wie Scherben von grünem Glas ... Er hat eine Koralle in der Hosentasche, Euer Gnaden, wir haben sie selber gesehen.

RITTMEISTER Was ist das für ein Kauz? Wo kommt er denn her?

DIENER Von überall, sozusagen. Eben erzählte er von Marokko, von Spanien, von Santa Cruz –

RITTMEISTER Santa Cruz?

Der Rittmeister erhebt sich.

DIENER Ja, vor sechs Tagen kam er ins Schloß. Er schien uns betrunken, er wußte nicht einmal, was er wollte. Wir legten ihn auf Stroh. Am andern Morgen aber schneite es und schneite ... Glauben Euer Gnaden, daß es einmal wieder aufhört?

Der Rittmeister steht vor dem Globus.

RITTMEISTER Einmal hört alles auf, Kilian.

DIENER Alles?

RITTMEISTER Sogar die Pflichten, die Zinsen, die schlechten Zähne, die Klauenseuche, die Ochsen, alles, das Ankleiden, das Auskleiden, das Essen, der Brunnen im Hof. Einmal schneit es immerzu. Die Akropolis, die Bibel ... eine Stille wird sein, als wäre das alles nie gewesen.

DIENER Das Feuer brennt. Gestatten Euer Gnaden, daß ich wieder in die Küche gehe?

Elvira ist eingetreten.

ELVIRA Hier ist es wärmer ... Damit ich es nicht vergesse, Kilian: wir essen hier, nicht drüben.

DIENER Wie Euer Gnaden befehlen.

Der Diener entfernt sich, das Ehepaar ist allein. Sie kauert zum Kamin, ihre Hände wärmend; er steht noch immer vor dem Globus.

ELVIRA Hier ist es wärmer. Das Wasser gefriert in der Vase.

RITTMEISTER Santa Cruz . . .

ELVIRA Wie meinst du?

RITTMEISTER Santa Cruz . . . Erinnerst du dich an Santa Cruz?

ELVIRA Wozu.

RITTMEISTER Das Wort ist voll fremder Gassen und Bläue, voll Bögen, Palmen und Agaven, Mauern, Maste, Meer . . . Es riecht nach Fischen und Tang, ich sehe den Hafen, wie Kreide so grell, als wäre es gestern gewesen. Ich höre noch heute den Kerl, wie er in der schmutzigen Spelunke stand: Wir fahren nach Hawai, sagte er. Sehen Sie das Schiff mit dem roten Wimpel?

Er lacht.

In einer Viertelstunde fahren wir nach Hawai!

ELVIRA Reut es dich noch immer, daß du damals nicht gefahren bist? Daß du an meiner Seite geblieben bist?

RITTMEISTER Ich denke oft an den Kerl.

ELVIRA Du antwortest mir nicht.

RITTMEISTER Ob er Hawai schon erreicht hat? Oft drehe ich die Kugel da: Florida, Kuba, Java – vielleicht lebt er heute in Java.

ELVIRA Oder er ist umgekommen.

RITTMEISTER Das nicht.

ELVIRA Vielleicht hat ihn die Seuche erwischt.

RITTMEISTER Das nicht.

ELVIRA Oder der Krieg. Oder der Sturm, der ihn erbärmlich ersäufte –

RITTMEISTER Das nicht.

ELVIRA Wieso nicht?

RITTMEISTER Er lebt, solange ich lebe.

Sie blickt ihn verwundert an.

ELVIRA Woher weißt du das?

RITTMEISTER Solange ich lebe, begleitet ihn meine Sehnsucht; er hat sie zu seinem Segel genommen, das ihn über die Meere treibt, und ich, so wie ich sitze, ich weiß es nicht einmal, wo er mit all meiner Sehnsucht umhertreibt, – während ich arbeite, – Häfen, Küsten, Städte, die ich alle nicht kenne.

ELVIRA Laß ihn treiben!

RITTMEISTER Ich lasse ihn . . .

Kleines Schweigen

ELVIRA Übermorgen ist Martini. Hast du daran gedacht, daß die Leute kommen? Wir werden ihnen eine heiße Suppe geben, meinst du nicht auch?

Er hört es nicht.

RITTMEISTER Manchmal . . . weißt du, was ich manchmal möchte?

ELVIRA Nach Hawai.

RITTMEISTER Ich möchte ihn noch einmal kennenlernen, ihn, der mein anderes Leben führt. Nur dies. Ich möchte wissen, wie es ihm ergangen ist. Ich möchte hören, was ich alles nicht erlebt habe. Ich möchte sehen, wie mein Leben hätte aussehen können. Nur dies.

ELVIRA Was für ein Hirngespinst!

RITTMEISTER Es ist kein Hirngespinst. Es ist eine leibhaftige Person, die von meinen Kräften lebt und zehrt, von meiner Sehnsucht sich nährt, sonst wäre ich nicht immer so müde, so alt.

ELVIRA Bist du das?

RITTMEISTER Oft, zu oft.

Elvira scherzt.

ELVIRA Vielleicht ist es der Vagant, der drunten in der Küche singt, der Kerl, der unser Gesinde unterhält mit Koralle und Gitarre? Meine Zofe erzählte mir davon. Vielleicht ist es der!

RITTMEISTER Vielleicht.

ELVIRA Nun aber genug! –

Sie ist aufgestanden.

Macht euch der Schnee denn alle verrückt? Meine Zofe träumt von Fischen, welche fliegen können.

Kleine Stille

RITTMEISTER Wenn ich am Feierabend neben dir sitze, zum Beispiel, wenn ich lese – was suchen wir denn anderes als Ihn, der unser anderes, vielleicht unser wirklicheres Leben führt, das Leben, das ich heute selber führen würde, hätte ich damals das fremde Schiff bestiegen, das Meer erwählt und nicht das Land, das Ungeheure, nicht das Sichere. Ihn suchte ich, den ich immer wieder denken muß, auch wenn ich unseres Glückes mich freue... unseres Kindes, unseres Landes, wenn es Sommer ist, wenn ich am frühen Morgen durch die Felder reite und die Saaten, wenn am Abend die dämmernden Gewölke über das Korn ziehen, unser Korn – Gott, ich weiß, daß ich glücklich bin!

ELVIRA Ich dachte, du wärest es.

RITTMEISTER All das hier – ich glaube nicht mehr, daß es für mich das einzig mögliche Leben gewesen sei. Verstehst du?

ELVIRA Sondern?

RITTMEISTER Ich glaubte es einmal durchaus, solange es noch Ziel war, nicht Erfüllung, nicht Besitz, nicht Alltag.

ELVIRA Dann glaubst du auch nicht mehr an Gott.

RITTMEISTER Wieso?

ELVIRA Mir scheint so. Mein Vater selig schrieb einmal in einem Brief: Fürchte die Zufälle nicht. Wenn du einen See-räuber heiratest oder einen Rittmeister, dein Dasein wird ziemlich verschieden aussehen: du aber bist immer Elvira... Ich war beschämt, damals, und zuversichtlich zugleich, und der nächste Zufall war ein Rittmeister, wie du weißt, und ich sagte Ja... Das war in Santa Cruz.

RITTMEISTER Vor siebzehn Jahren oder so...

Er hat sich erhoben.

23

Es ist wohl Zeit, daß ich mich umziehe. Man esse hier, sagst du?

Der Diener ist eingetreten und deckt den Tisch.

ELVIRA Noch eines, Kilian –

DIENER Euer Gnaden?

ELVIRA Bringe noch ein drittes Gedeck.

RITTMEISTER Wen erwartest du?

ELVIRA Und sage dem Fremden, der unten in der Küche sitzt, ohne daß wir ihn kennen, wir erwarten ihn zum Abendessen – hier.

DIENER Der Vagant?

ELVIRA Wir erwarten ihn als unsern Gast.

DIENER Wie Euer Gnaden befehlen.

Der Diener entfernt sich.

RITTMEISTER Was soll das?

ELVIRA Du willst ihn kennenlernen, sagtest du nicht?

RITTMEISTER Du bist eine Närrin!

ELVIRA Ich dachte, ich tue dir einen Gefallen. Wir werden dein anderes Leben kennenlernen, wie du das nennst. Es wird ein interessantes Abendessen geben.

Elvira hat sich an das Klavichord gesetzt.

Im Ernst, mein lieber Mann, was würdest du empfinden, wenn ich der Erinnerung mich hingäbe, so wie du? Wenn ich so redete von einer Elvira, die mein anderes, vielleicht mein wirklicheres Leben führte – ferne von hier ...

RITTMEISTER Die Frau, sagt man, kann leichter vergessen.

ELVIRA Sagt man. Ich habe nicht vergessen. Pelegrin hieß er.–

Kleine Stille

Aber die Frau, siehst du, spielt nicht mit der Liebe, mit der Ehe, mit der Treue, mit dem Menschen, dem sie gefolgt ist.

RITTMEISTER Spiele ich?

ELVIRA Was vorher war, es ist vergangen, es hat kein Recht mehr auf meine Gegenwart; keinen Platz in meinem Denken! Wenn eine Frau sagt: Ja, ich folge dir! dann handelt sie auch Ja, und alles andere opfere ich, ich denke nicht

mehr daran, ich bereue es nicht. Denn ich liebe. Ich möchte,
daß der Mann, der mir ein Alles ist, auch seinerseits ein
Ganzes an mir habe.

RITTMEISTER Ich glaube es, Elvira. Ich weiß es.

Er küßt sie ehelich.

Und ich beneide dich um solche Treue. Ich vermag sie im
Tun, Gott weiß es, – aber nicht im Geist.

*Der Diener kommt zurück, er legt das dritte Gedeck, wäh-
rend der Rittmeister sich entfernt.*

ELVIRA Du hast ihn eingeladen?

DIENER Gewiß, Euer Gnaden.

ELVIRA Er kommt?

DIENER Man wird es sehen.

ELVIRA Er wird verlegen sein, der arme Kerl!

DIENER Glauben das Euer Gnaden?

ELVIRA Wer selber nicht zur Herrschaft gehört, was stellt er
sich alles darunter vor!

Elvira tändelt am Klavichord.

DIENER Euer Gnaden?

ELVIRA Ja?

DIENER Unser Brunnen im Hof ist nicht mehr.

Dann legt er wieder Besteck.

Ich denke, der Gast sitzt hier. Wenn er kommt. Denn mit
Verlaub gesagt, er scheint mir betrunken.

ELVIRA Betrunken?

DIENER Nicht gräßlich, Euer Gnaden, nicht besinnungslos.
Immerhin.

ELVIRA Immerhin? Wieviel ist das: Immerhin?

DIENER Ich sage es nur, damit Euer Gnaden wissen, warum
ich nicht die venezianischen Gläser gebe – –

ELVIRA Warum nicht?

DIENER Der Kerl – unser Gast . . . es ist so eine Lebensart von
ihm, daß er das Glas, wenn es leer ist, jedesmal, wenn es
leer ist, in eine Ecke wirft.

ELVIRA Wunderbar . . .

DIENER Wie Euer Gnaden es finden.

ELVIRA Kilian!

DIENER Ja?

ELVIRA Ich möchte, daß die venezianischen Gläser auf dem Tische sind.

DIENER Es sind unsere besten, Euer Gnaden, der Rittmeister liebt sie über alles, Erinnerung an seine Reise, an das Meer – –

ELVIRA Eben drum.

Der Vagant ist in die Türe getreten, ohne daß er bemerkt wird; Elvira klimpert, der Diener tischt.

ELVIRA Kilian, wie sieht er denn aus, unser Gast?

DIENER Wie er aussieht?

ELVIRA Beschreibe ihn! Hat er einen Bart wie ein böhmischer Landstörzer? Ich denke, seine Haare wachsen ihm über den Kragen hinab, als wären die Haarschneider ausgestorben.

DIENER Er hat keinen Kragen.

ELVIRA Als Kind habe ich einmal einen Landstörzer gesehen: er nahm seinen Bart und wischte sich die Suppe vom Mund – puh!

DIENER Er hat keinen Bart, unser Gast.

ELVIRA Schade.

DIENER Euer Gnaden werden dennoch erstaunt sein.

ELVIRA Seine Schuhe? Erzähle mir von seinen Schuhen! Hast du schon die Schuhe gesehen, die in den braunen Tümpeln liegen, wenn die Zigeuner durch das Land gezogen sind?

DIENER Ungefähr so, ja.

ELVIRA Der Arme! Wir werden ihm ein Paar bessere geben, nachher.

DIENER Das wäre edel von Euer Gnaden.

ELVIRA Nachher! Verstehst du. Der Rittmeister möchte ihn kennenlernen, so wie er ist ... Betrunken? hast du gesagt?

DIENER Ich fürchte, Euer Gnaden werden wenig Freude haben an diesem Abendessen.

ELVIRA Im Gegenteil!

DIENER Er ist wirklich arm, meine ich.

ELVIRA O, so bin ich nicht, daß ich die armen Leute nicht mag!

DIENER Ich meine, er hat nichts zu verlieren. Solche Leute haben eine Art, die Wahrheit zu reden –

ELVIRA Was für eine Wahrheit?

DIENER Jede, die ihm gerade einfällt. Es ist ja nicht schwer, Euer Gnaden, mutig zu sein, wenn man schon auf dem Hund ist.

ELVIRA Ich schätze die Wahrheit.

DIENER Auch wenn sie unanständig ist? Er hat halt viel erlebt, glaube ich.

ELVIRA Zum Beispiel?

DIENER Dafür ist er auch einmal im Gefängnis gewesen.

ELVIRA Im Gefängnis?

DIENER Die Weiber haben wohl auch ihre Schuld daran ...

ELVIRA Im Gefängnis ist er gewesen, sagst du?

DIENER Er behauptet es.

ELVIRA Wunderbar!

DIENER Sie wollten ihn hängen, glaube ich.

ELVIRA Wunderbar, ganz wunderbar.

DIENER Warum finden Euer Gnaden das wunderbar?

ELVIRA Warum?

Sie dreht sich zum Klavichord zurück.

Weil es einem Mann, der mit seinem Schicksal nicht mehr zufrieden sein möchte, die Flausen austreiben wird und die fixen Ideen, – darum.

Elvira klimpert, der Diener will gehen, in der Türe trifft er den Gast.

DIENER Euer Gnaden, der Gast.

ELVIRA Ah! Hat denn der Gong schon geschlagen ...

Elvira dreht sich, um dem Gast entgegen zu gehen; sie erstarrt, als sie ihn sieht.

VAGANT Guten Abend, Elvira.

ELVIRA Pelegrin??

PELEGRIN Man hat mich eingeladen, wenn es stimmt, zum Abendessen.

ELVIRA Pelegrin...

Stille

PELEGRIN Erschrick nicht, Elvira; ich werde bald wieder gehen, ich habe nicht viel Zeit.

Stille

Ihr wohnt so schön, wie ich es mir immer dachte... Nur dieses Scheit, ich glaube, man sollte es mehr in den Kamin schieben – wenn du gestattest.

Er nimmt den Feuerhaken.

Du wunderst dich, Elvira, wie ich in diese unmögliche Gegend komme... Ich war krank, Fieber, Fieber, als brenne mir die Hölle im Blut. Nun bin ich genesen. Das gibt es: genesener als je!...

Er steht vom Kamin wieder auf.

In Kuba, da gibt es eine Farm, verbrannt und verdorrt, eine Farm, die wartet auf mich, um Früchte zu tragen: Früchte, Ananas, Pfirsich, Pflaumen, Feigen, Trauben! In einem Monat fährt das Schiff ... in einem Jahr, Elvira, bekommt ihr den ersten Kaffee!

Elvira, die ganze Zeit stumm wie eine Säule, wendet sich plötzlich, rafft ihren Rock und entfernt sich in entschlossener Flucht.

Warum das? Erschrecken wollte ich dich nicht... Und das ist euer Kind!

Er steht vor einem Bild.

Ein wenig gleichst du deiner Mutter. Die Augen fast wie die Augen der Rehe. Mag sein, nun weint sie, deine Mutter, vor Zorn – ich habe sie an Dinge erinnert, die du nicht wissen sollst, man bleibt ein Narr, und das Leben ist kurz, das vor allem.

Er schaut sich um.

Und alle die Bücher ...

Indem er eines zur Hand nimmt:

Einmal, ich weiß nicht wann, da werd' ich euch lesen, euch
alle, ihr schönen Waben voll Geist der Jahrhunderte,
Kerzentropfen darauf.

Der Rittmeister erscheint; er stutzt über das Verhalten
seines Gastes, der sich keineswegs stören läßt, sondern auch
während des Folgenden weiterblättert.

RITTMEISTER Gott grüß Euch.

PELEGRIN Euch ebenso ... Euer Gnaden, scheint es, sind auch
ein Freund von Kupferstichen? Sie sammeln, ein liebwertes
Lasterchen.

RITTMEISTER Meine Frau wird jeden Augenblick kommen.

PELEGRIN Glauben Sie?

RITTMEISTER Man sagt mir, Sie wären schon fast eine Woche
in unserem Haus; der Schnee hat Sie gefangen.

PELEGRIN Auch das.

RITTMEISTER Wir haben selten so viel Schnee.

PELEGRIN Einmal sammelte ich auch – indianische Schädel,
drüben in Amerika. Der Teufel weiß, wie sie das machen,
so groß sind sie, wie eine Faust, ein veritabler Menschen-
kopf. Tot natürlich. Aber tadellos erhalten, das Fleisch, die
Haut, die Augen, das Haar, auch die Züge der Person, nur
alles verkleinert! Auf der Farm, wo ich damals diente,
hatte ich ein ganzes Gestell voll solcher Herren: man hält
sie wie eine Kartoffel in der Hand – einmal, da ärgerten
mich die Weiber: da warf ich mit Köpfen, bis ich keinen
mehr hatte! *Er lacht.*

Warum sehen Sie mich so an?

RITTMEISTER Mir ist, wir haben uns schon einmal gesehen ...

PELEGRIN Haben wir?

RITTMEISTER Ich weiß nicht, erinnern Sie sich an mich ...

Der Diener tritt ein.

DIENER Die gnädige Herrin lasse sich entschuldigen. Sie habe
Migräne, sagt sie, oder Magenschmerzen.

RITTMEISTER Danke.

Der Diener entfernt sich.

RITTMEISTER Setzen wir uns!

PELEGRIN Ich glaube, es war in Santa Cruz ... Danke ... es war in Santa Cruz, in der verdammten Spelunke, wo sie mir das silberne Amulett gestohlen haben!

RITTMEISTER Ich?

PELEGRIN Die Neger! Erinnern Sie sich noch an den Neger, der die Austern verkaufte? Ich behaupte noch heute, sie haben gestunken ... Danke ... Ich habe Sie damals auf unserem Schiff erwartet; Sie sagten doch, Sie kämen mit? Das Schiff mit dem roten Wimpel, wissen Sie noch?

RITTMEISTER Ich weiß es wohl.

PELEGRIN Viola hat es geheißen.

RITTMEISTER – Viola??

PELEGRIN War das eine Fahrt! Bei Madagaskar kamen die Franzosen und schnappten uns. Neun Wochen saßen wir im Gefängnis und nagten unsere Nägel, wir fraßen den Schimmel von der Mauer! Zum Glück wurde ich krank – man verurteilte uns zur Galeere. Seeräuber! Aber zuvor, damit ich zur Verdammnis taugte, trugen sie mich in ein Hospital. Eine Krankenschwester gab mir Blut ... Ja, das gibt es: sie streifte ihren weißen Ärmel zurück, saß und gab mir Blut ... Später sprang ich damit über die Mole und schwamm, Sie verstehen: mit dem Blut der Krankenschwester, ich schwamm, schwamm, es war eine Mondnacht und draußen lag ein holländischer Frachter, der den Anker löste. Und ich hörte schon, wie er den Anker löste. – Verzeihung.

RITTMEISTER Was ist?

PELEGRIN Sie reden ja kein Wort.

RITTMEISTER Ich höre zu ...

PELEGRIN Ich schwatze und schwatze, und Sie essen ja nicht einmal. Ich bin nicht höflich.

RITTMEISTER Ich höre gerne zu, wirklich. Lassen Sie sich nicht stören von meiner Neugier, zu hören, was alles in meinem Leben ich nicht erlebt habe.

PELEGRIN Stoßen wir an! Ich bin nicht höflich.

Sie stoßen an.

Auf Ihre Gattin!

Sie trinken.

Später kamen wir nach Hawai . . .

Sie wollen weiteressen, aber auf einmal hört man Musik: sie horchen, schauen sich an, erheben sich und horchen, die Servietten in der Hand.

RITTMEISTER Was soll das bedeuten?

PELEGRIN Musik . . .

RITTMEISTER Woher?

PELEGRIN Das haben sie immer gesungen, die Matrosen, diese braunen Teufel mit den Katzenaugen, wenn wir droben auf dem Achterdeck lagen und nicht schlafen konnten vor Hitze, Nächte lang, all die Nächte ohne Wind . . .

RITTMEISTER Was soll das bedeuten?

Ein junges Mädchen steht in der Türe.

VIOLA Vater.

RITTMEISTER Was ist geschehen?

VIOLA Ich weiß es nicht.

RITTMEISTER Etwas ist geschehen . . .

VIOLA Mama weint, sie sagt nicht warum.

RITTMEISTER Wenn ich vorstellen darf: unsere Tochter.

PELEGRIN Gott grüße dich!

RITTMEISTER Viola mit Namen.

PELEGRIN Viola . . . ?

Das Bild verdunkelt, aber die Musik dauert an, das Lied der Matrosen kommt näher und näher.

Zweiter Akt

Auf dem Achterdeck
Es ist Nacht, Matrosen liegen umher und singen das Lied,
wovon soeben die Rede gewesen ist; einmal bricht es ab.

ERSTER Der Wind läßt auf sich warten.

ZWEITER Der Wind hat Zeit . . .

DRITTER Unsere Fässer stinken zum Himmel!

ERSTER Der Mond hängt wie ein silberner Gong über dem Meer.

ZWEITER Mir scheint, der Mond hängt wie ein Lampion zwischen den Masten . . .

DRITTER Pedro?! Pedro?

ERSTER Er schläft. Er spürt die Fesseln nicht, wenn er schläft.

DRITTER Pedro? He?

PEDRO Ich schlafe nicht.

DRITTER Pedro, was gibt es Neues im Lande der Märchen?

PEDRO Ihr glaubt mir ja nichts, kein Wort, und dennoch soll ich immer erzählen, ihr ärgerliches Gesindel, ihr, die ihr mich fesselt, wenn ich die pure Wahrheit sage!

DRITTER Gemach, mein Freund –

PEDRO Wer hat mich drei Nächte lang auf den Bauch gelegt, damit ich die Sterne nicht sehe?

DRITTER Du sollst uns nicht sagen: die Sterne singen. Wenn man es gar nicht hört. Es ist nicht wahr, was du erzählst. Darum haben wir dich gefesselt.

PEDRO Wenn es nicht wahr ist, was ich sage, warum wollt ihr denn, daß ich erzähle? Warum hört ihr denn zu?

ERSTER Weil es uns langweilig ist . . .

PEDRO Und warum ist es euch langweilig?

ZWEITER Er ist ein Poet! Laß ihn.

DRITTER Das eben vertrage ich nicht, das verdammte Geflunker! Immer redet er von Sachen, die ich mit eignen Augen nicht sehe – jawohl! sage ich: wir fahren dich um die ganze Erde herum, bis wir es sehen, daß es wahr ist, was du erzählst, eine einzige von all deinen Geschichten! Dann binden wir dich los –

PEDRO Bis ihr es seht, was wahr ist?

DRITTER Keinen Augenblick früher! Lache nicht!

PEDRO Bis ihr es seht, ihr, die Blinden! Ihr mit dem unheilbaren Besserwissen eurer Mehrheit, ihr gräßliches Pack, ihr mit dem unverschämten Anspruch eurer Öde und Langeweile, ihr Leere, ihr Faß ohne Boden, ihr Publikum!...
Gelächter und Lärm
Nie wieder werde ich euch erzählen! Nie wieder!

DRITTER Ich stelle Antrag: drei Tage kein Brot.

ZWEITER Drei Tage kein Wasser.

MEHRZAHL Beschlossen.

Eine Stimme anderswo auf dem Schiff singt wieder das Lied.

PEDRO Vor siebzehn Jahren, sage ich, und auf diesem Schiffe hat er sie entführt, Elvira hat sie geheißen, ein Fräulein, sage ich euch, ein Fräulein, und dort in die Kajüte hat er sie getragen, ob ihr es glauben wollt oder nicht, dort ist es geschehen –

ZWEITER Was?

PEDRO Vor siebzehn Jahren . . .

DRITTER Alles erlogen, erfunden und erlogen!

PEDRO Heute ist sie die Frau eines Rittmeisters, sie wohnt in einem Schloß, ferne von hier, auf der anderen Seite der Welt, dort, wo es jetzt Winter ist. Wir können nicht schlafen vor Hitze, und dort, so müßt ihr euch denken, dort sitzen sie vor dem Kamin, der Rittmeister und die Rittmeisterin. Sie wissen nicht, wovon sie reden sollen, so lange schon sind sie verheiratet. Ein Diener tritt herein. Was ist geschehen? fragt der Rittmeister. Ein Vagant ist im Hause. Sie laden ihn zum Essen, langweilig wie es ihnen ist, und

als die Rittmeisterin sieht, wer es ist, – was meint ihr, daß
sie tut?

ERSTER Wer ist es denn?

PEDRO Unser Kapitän! Wer sonst . . .

DRITTER Alles erlogen, erfunden und erlogen.

PEDRO Was meint ihr, daß sie tut, die Rittmeisterin, als sie
es sieht, wer da heraufkommt aus dem Untergeschoß ihres
ehelichen Schlosses? Sie wendet sich ab, ohne ein Wort –

ERSTER Warum denn?

PEDRO Der Rittmeister und der Vagant, sie sitzen alleine bei
Tisch, sie essen und trinken, sie plaudern von vergangenen
Zeiten, und auf einmal, da hören sie Musik . . . Musik . . .
Was soll das bedeuten? sagt der Rittmeister: Was soll das
bedeuten?

ZWEITER Und?

PEDRO Ei nun, es ist das Lied, das wir eben gesungen haben,
was sonst!

ZWEITER Wie ist das möglich?

PEDRO Erinnerung, Freunde, Erinnerung, da hilft euch keine
Ferne dagegen, die Rittmeisterin hört unser Lied, und
wenn sie am anderen Ende der Welt liegt, dort, wo es jetzt
Winter ist, wo es schneit; sie liegt in der Kammer ihres ehelichen Schlosses, die Gute, sie weint in die Kissen, sie will
nichts mehr wissen davon, was hier in der Kajüte geschehen ist vor siebzehn Jahren – von wegen der Treue . . .

ERSTER Kann ich mir denken!

ZWEITER Von wegen der Treue!

PEDRO Nur manchmal die Träume –

DRITTER Alles erlogen, erfunden und erlogen.

PEDRO Nur manchmal die Träume: da kommt er noch immer,
der Verführer von einst, frech wie er war, jung wie er war,
damals . . . Es war eine Nacht wie heute, draußen die
silberne Straße des Mondes: da führt er sie noch einmal
herüber, sie träumt, sie wäre noch einmal ein Mädchen,
träumt, wie sie ihre Unschuld noch einmal verlöre –

ZWEITER Wunderbar! Hört ihr, was die Rittmeisterin träumt? Wie sie ihre Unschuld noch einmal verlöre!

ERSTER Nichts geht über die Unschuld und den Durst, man kann soviel anfangen damit ...

DRITTER Alles erlogen, erstunken und erlogen!

PEDRO Still ...

DRITTER Erlogen! sage ich. Erlogen!!

PEDRO Da kommen sie – hinter uns ...

Es erscheinen Elvira, in der Seide ihres Nachtgewandes, und Pelegrin, so wie er vor siebzehn Jahren aussehen mochte.

PELEGRIN Noch eine Stufe.

ELVIRA Ich darf nicht straucheln, sonst erwache ich.

PELEGRIN Ich halte dich.

Sie kommen herab.

PEDRO Mir tut nur der Rittmeister leid, der alles das nicht sehen kann: hinter der Stirne seiner schlafenden Frau ...

Das Lied hat aufgehört.

PELEGRIN Auf, ihr Leute! Auf! Was lungert ihr in eurem Singsang herum und keiner steht auf, wenn ich komme? Was heißt das? Tummelt euch, die Segel empor! Wir fahren weiter. Träumt ihr?

Die Matrosen erheben sich benommen.

Wir fahren weiter! Sofort! Verstanden?

Die Matrosen gehen ans Werk, nur Pedro, der gefesselt ist, bleibt im Dunkeln liegen.

ELVIRA Das ist nun euer Schiff?

PELEGRIN Viola heißt es, ja –

ELVIRA Viola?

PELEGRIN Ein armseliges Ding, fürwahr! Wir haben es neulich gekapert, als es vor Marokko lag, die Mannschaft war gänzlich besoffen, es kam uns nicht teuer, drei Menschenleben von den unsern, mehr ist es nicht wert – aber es genügt, es ist ein Schiff, um mit Elvira hinauszufahren, wo es nichts anderes mehr gibt als den Mond und das Meer, das Meer ...

ELVIRA Hier hast du gesagt, daß ich schön sei.

PELEGRIN Du bist es, Elvira!

ELVIRA Du hast es anders gesagt . . . damals.

PELEGRIN Elvira, ich kenne eine Muschel, die es nicht gibt,
eine Muschel, die man nur denken kann, so schön ist sie,
und wenn man an den Küsten aller Meere streifte und
wenn man Tausende und Hunderttausende von Muscheln
eröffnete, sie alle zusammen, nie sind sie so schön wie die
Muschel, die man sich denken kann, nie sind sie so schön –
du aber bist es!

ELVIRA O Pelegrin!

Sie sinkt in Ohnmacht; er hält sie, setzt sie auf ein Faß.

PELEGRIN Jehu?

ELVIRA Ich habe nicht kalt. Sicher nicht!

PELEGRIN Jehu!

ELVIRA Ich möchte nicht, daß sie den roten Teppich bringen –

PELEGRIN Jehu! Herrgott nochmal, wo steckt er denn? Jehu?

ELVIRA Ich habe keinen Durst. Ich werde ihn nie wieder trinken, euren gelben Wein, nie wieder! Hörst du, Pelegrin?
Ich will nicht –

Ein junger Malaie erscheint.

PELEGRIN Bringe dem Mädchen, das unser Gast ist, einen
Teppich. Bringe uns Früchte, bringe uns Speise, bringe uns
Wein, bringe vom besten – bringe uns alles, was es gibt.

Der junge Malaie entfernt sich.

Daß ich nicht lache, wenn ich an deinen Vater denke! So
ein gestrenger Herr! Morgen, wenn er zeitig aus dem Bette
steigt – ich habe seinem Diener hinterlassen, was er sagen
soll: Dort draußen, so wird der Diener ihm sagen, seht ihr
das Schifflein mit dem roten Wimpel? Ich sehe nichts. Und
der Diener wird sagen: Ich auch nicht mehr! . . .

ELVIRA Mein armer Vater, wie tut er mir leid um seiner
Tochter willen.

PELEGRIN Man muß nicht allen jungen Männern sagen: Ich
habe eine Perle von Tochter, ihr aber, meine Burschen, seid

es nicht wert, sie anzusehen! Wo ist sie denn? fragte ich. Das geht dich nichts an! brummte er: sie ist verlobt –

ELVIRA Er hatte recht.

PELEGRIN Sie ist verlobt! sagte er, und der Stolz, oh, es troff ihm der Stolz von den Mundwinkeln: mit einem Edelmann, mit einem Rittmeister?!

ELVIRA Im Ernst, Pelegrin –

PELEGRIN Im Ernst: seit dreizehn Wochen fahre ich dir nach –
Ein sonderbarer Singsang von Rufen ertönt.

ELVIRA Was ist das?!

PELEGRIN Ich wußte kein anderes Mittel, dich wiederzusehen, ich brauchte ein Schiff, das erste beste . . . noch höre ich das finstere Klatschen, die armen Franzosen, wir schleiften sie über Bord, besoffen wie sie waren, platsch, platsch, platsch! Das Wappen übermalten wir –

ELVIRA Was ist das?

PELEGRIN Sie hissen die Segel. Sie machen es im Takt. Sobald der Mond verschwunden ist, ich wette, wir haben Wind! Und morgen, wenn du erwachst: ein Morgen wird es sein, ein Morgen voll jauchzender Sonne, ein Morgen voll Bläue und Wind, ein Morgen ohne Küste, schrankenlos –

ELVIRA Ich weiß es, wie er sein wird, Pelegrin: wir haben ihn erlebt.
Der junge Malaie bringt einen Korb nach Tizian.
Mein Gott, mein Gott!

PELEGRIN Ich denke, es soll uns nicht langweilig werden, bis der Morgen graut. Ich liebe die Früchte! Sie machen mich jedesmal fromm. Die Früchte, scheint mir, die sind unserem Herrgott gelungen . . . Jehu, wir danken dir!
Der junge Malaie entfernt sich.
Ich liebe den Burschen, er geht, als berühre er den Boden nicht, er hat den Blick eines traurigen Tieres, er hat eine Stimme wie Samt, wenn er lacht . . .
Er will anstoßen.
Auf unser Wohl!

ELVIRA Ich trinke keinen Wein.

PELEGRIN Der Wein ist gut. Das muß man den Franzosen
lassen . . .

ELVIRA Nie wieder, Pelegrin, nie wieder!

PELEGRIN Warum denn nicht?

Er will anstoßen.

Stoßen wir an, bevor er verschüttet ist!

Elvira tut es nicht.

Der Wein, den man in solcher Nacht verschmäht, er ist
gefährlicher, als wenn du ihn trinkst!

ELVIRA Wieso?

PELEGRIN Ich müßte ja denken, das Mädchen hat Angst. Und
wovor? So müßte ich fragen, wovor hat es Angst? Das
bringt den Mann auf verwegene Gedanken, und am Ende,
wenn du nicht trinkst, am Ende meint er sogar, daß auch
das Mädchen sie denke.

Elvira nimmt das Glas.

Auf unser Wohl!

Er trinkt, Elvira blickt in ihr Glas.

ELVIRA Alles das, warum träume ich es immer wieder? Ich
weiß genau, später wirst du mich im Stiche lassen, du wirst
dich wie ein Schuft benehmen. Das alles weiß ich, denn ich
habe es ja erlebt. Vor vielen Jahren. Und alles das, es ist
vergangen, für immer vergangen, und dennoch hört es
nicht auf, daß ich es erlebe. Später werde ich einen Rittmeister heiraten, es ist komisch, wie genau ich das weiß: ich
liege in der Kammer unseres Schlosses, und er, der Gute,
in diesem Augenblick kommt er herauf, er schaut auf mein
schlafendes Gesicht – in diesem Augenblick . . . !

Eine Wache tritt auf.

WACHE Herr!

PELEGRIN Was gibt es, du schleichender Hund?

WACHE Eine Korvette!

PELEGRIN Wo?

WACHE Backbord!

PELEGRIN Was wollen sie?

WACHE Wir haben kein Wappen, Herr, man hält uns für Räuber –

PELEGRIN Mag sein.

WACHE Herr, sie werden auf uns schießen, sobald der Morgen graut.

ELVIRA Sie werden auf uns schießen?

Er leert sein Glas und wirft es über Bord.

PELEGRIN Natürlich werden sie auf uns schießen. Ordnung muß sein. Was sollen sie auf dieser Welt schon anderes tun ... Sag es den Leuten: alle Mann auf den Posten! Ich selber, wenn es wirklich losgeht, ich bin auf der Brücke!

WACHE Zu Befehl.

Die Wache geht.

PELEGRIN Gehen wir in die Kajüte, liebe Elvira. Der Mond wird uns helfen, indem er untergeht. Es ist nicht das erste Mal, daß wir ihnen entwischen!

ELVIRA Pelegrin, ich gehe nicht in die Kajüte.

PELEGRIN Warum nicht?

ELVIRA Nie wieder, Pelegrin, nie wieder!

PELEGRIN Was soll das heißen? Ich verstehe nicht ...

ELVIRA Ich gehe nicht in die Kajüte! Um nichts in der Welt!

PELEGRIN Es ist am besten dort, du kannst es mir glauben, am sichersten. Du wirst ein Lager haben, das einzige auf unserem Schiff, und wenn es vorbei, dann wecke ich dich!

ELVIRA Und dann?

PELEGRIN Hier kann es gefährlich werden. Das Achterdeck, das ist kein Ort für dich! Ich kenne sie, diese Idioten da drüben: sie nehmen das Leben so blutig und ernst, das Leben der anderen nämlich, die sie beneiden, denn zu einem eigenen bringen sie es nicht ...

Da Elvira nicht folgt:

Warum starrst du mich an?

ELVIRA Ich glaube es dir wieder wie damals.

PELEGRIN Was?

ELVIRA Später, wenn ich an diese Nacht habe denken müssen, da schien es mir immer: es war eine List von dir, ein Plan, das mit der Kajüte und alles, ein ganz gemeiner Plan –

PELEGRIN Elvira, wir müssen gehen, ich beschwöre dich!

ELVIRA O Pelegrin ...

PELEGRIN In der Kajüte bist du geborgen. Und allein.

ELVIRA Ich weiß es doch, Pelegrin, was in der Kajüte geschehen ist, – als die Schießerei vorüber war ... vor siebzehn Jahren ...

Sie schreit auf.

Mein Gott! Was ist das für ein Mensch, der hier gefesselt liegt?

PEDRO Ich bin es.

PELEGRIN Pedro?

PEDRO Ich kann nichts dafür, Herr: sie haben mich gefesselt, die Ungläubigen!

ELVIRA Großer Gott, man hat uns belauscht ...

PELEGRIN Es ist nur ein Poet, dem niemand glauben wird, wenn er redet ... Komm, Elvira, komm! Gehen wir in die Kajüte, dort bist du am sichersten.

Man hört eine Kanone.

Da pulvern sie schon, diese Idioten der Ordnung –

Sie fällt in seine Arme.

ELVIRA Alles das, alles das, warum träume ich es immer wieder?

Er trägt sie zur Kajüte.

PEDRO Und der Rittmeister, der alles das nicht sehen kann: hinter der Stirne seiner schlafenden Frau ...

Dritter Akt

Im Schloß
Der Schreiber sitzt am Tisch, wie schon einmal. Am Boden
steht Gepäck. Der Diener wartet daneben.

SCHREIBER Es ist Mitternacht vorbei.

DIENER Ich verstehe nicht, was das bedeuten soll ...

SCHREIBER Seit siebzehn Jahren stehe ich in Diensten, nie eine
Laune, nie eine Willkür, man hatte seinen Feierabend,
seine Nachtruhe, seine Menschenwürde. Noch gestern abend,
als ich an diesem Tische saß, hätte ich meinen Kopf gewet-
tet, daß der Rittmeister, unser Herr, ein Mann von Ver-
nunft sei, ein Mann von Anstand, ein Mann, der es zu
schätzen weiß, daß er einen Schreiber hat wie mich. Wie
oft schon sagte ich zu ihm: Wenn es not tut, Euer Gnaden,
arbeite ich auch nachts – und man konnte sich darauf verlassen, daß er es nicht mißbrauchte.

DIENER Pscht!

Sie lauschen.

Das ist der Vagant.

SCHREIBER Ist er denn auch noch wach?

DIENER Ich traf ihn vorhin, als ich die Koffer aus dem Estrich
schleppte. Danke, sagte er, als ich ihm sein Zimmer zeigen
wollte: Er wolle nicht schlafen, es sei schad um die Zeit,
er schaue sich die Bilder an.

SCHREIBER Schafskopf.

Er gähnt.

DIENER Wißt Ihr, was ich glaube?

SCHREIBER Ich soll einen Brief schreiben – mitten in der
Nacht.

DIENER Schuld an allem ist der Vagant. Das glaube ich. Mit
den Magenschmerzen unserer Herrin fing es an. Dann
haben sie bis Mitternacht getrunken, der Rittmeister und

der Vagant. Nüsse haben sie geknackt, sehe sich einer diesen Schutthaufen an, und immer noch eine Flasche . . . !

SCHREIBER Ich friere wie ein Hund.

DIENER Kann denn ein Mann, der ein Schloß hat, eine Frau hat, ein Kind hat, kann er denn einfach verreisen? Übermorgen ist Martini, und wenn die Pächter kommen, wer soll mit ihnen verhandeln? Sagt mir das. Was soll aus den Ochsen werden? Und wer zahlt uns den Lohn? Ich kann nicht glauben, daß ein Rittmeister einfach verreisen kann, als gäbe es nur ihn.

SCHREIBER Wenn ihn die Sehnsucht zieht, stärker als die beiden Ochsen?

DIENER Ihr redet als ein Junggeselle. Was weiß ein Junggeselle, und wenn er um die Welt führe . . . !

SCHREIBER Schwatze nicht, Kilian, – wenn ich gähnen muß!

DIENER Das alles kennt ein Junggeselle nicht –

SCHREIBER Morgen werde ich dir antworten.

DIENER Ich kann es nicht glauben, daß ein Rittmeister einfach tun kann, was ihn lockt.

SCHREIBER Erst wollte er im Nachtkleid verreisen. Ich sagte es ihm. Sehr richtig, brummte er, sehr richtig, es ist ja Winter, hierzulande ist es immer Winter!

DIENER Das ist übertrieben.

SCHREIBER Jetzt ist er gegangen, sich umzukleiden. Er will, sagte er, das Wams seiner Jugend noch einmal anziehen –

DIENER Was will er anziehen?

SCHREIBER Das Wams seiner Jugend. Drum geht es so lange. Er wird seine liebe Mühe haben . . .

DIENER Ich verstehe das alles nicht.

SCHREIBER Mein Freund, es gibt Dinge, die gar nicht dazu vorkommen, damit wir sie verstehen. Dennoch kommen sie vor. Man nennt das Wahnsinn –

DIENER Still!

Der Rittmeister erscheint im Wams seiner Jugend.

RITTMEISTER Der Schlitten bereit?

DIENER Gewiß, Euer Gnaden.

RITTMEISTER Die Pferde geschirrt?

DIENER Gewiß, Euer Gnaden.

RITTMEISTER Die Koffer verladen?

DIENER Euer Gnaden befehlen –

RITTMEISTER Kilian!

DIENER Ja?

RITTMEISTER Leise. Es darf niemand erwachen. Es ist Nacht.
Unsere Herrin schläft. Und träumt –

Der Diener schleppt das Gepäck hinaus.

Wo sind wir stehen geblieben?

SCHREIBER »An meine Gattin, geschrieben in der Stunde der
Abreise, welche sich nicht aufschieben läßt, da mir die
Kürze unseres Daseins bewußt geworden, morgens um ein
Uhr: – Teure Elvira, da du nicht wissen kannst, daß ich
es weiß, und da ich meinerseits nicht wissen kann, wo du
dich in dieser Nacht befindest, wohin du gefahren bist mit
dem fremden Mann, dessen Namen ich dreimal aus deinem
Munde vernommen habe, schreibe ich dir diesen Brief,
während du scheinbar droben in unserem Gemache schlum-
merst, wie all die Jahre, und lege ihn auf den Tisch unseres
Hauses, falls du am Morgen, wie all die Jahre, zum Frühstück wieder herunterkommst, als wäre nichts geschehen,
und dich allein finden wirst, was mir von Herzen leid tut.
In dieser Nacht, als ich neben dir stand, habe ich eine
Süße der weiblichen Stimme gehört, teure Elvira, die ich
in meinem Leben bisher nicht kannte –«

RITTMEISTER Der Gürtel, scheint mir, hat sich verzogen!

Er schleudert ihn weg.

Habe ich eine Süße der weiblichen Stimme gehört, die ich
in meinem Leben bisher nicht kannte . . . ja.

SCHREIBER So weit sind wir gekommen.

RITTMEISTER Keine Bemerkungen . . . Unter diesen Umständen, schreibe er, unter diesen Umständen halte ich dafür,
daß auch meine Sehnsucht, die ich Jahre lang tötete, tötete

und mit Schweigen begrub, damit sie dich nicht erschreckte, teure Elvira, daß auch meine Sehnsucht reisen darf.

SCHREIBER ». . . reisen darf.«

Der Rittmeister, der durch das Zimmer gegangen ist, während er diktierte, bleibt stehen; er spricht zu sich oder zu Elvira.

RITTMEISTER Noch einmal das Meer . . . Begreifst du, was ich meine? Noch einmal die Weite alles Möglichen: nicht wissen, was der nächste Augenblick bringt, ein Wort, das ans andere Ende der Welt lockt, ein Schiff, ein Zufall, ein Gespräch in der Spelunke, einer sagte: Hawai! Und da man erwacht, ringsum das Klatschen der Wellen, nichts als der Himmel, nichts als die Wölbung des Wassers, Kontinente hangen daran, irgendwo, und die ich liebe, die ich denke im einsamen Jubel solcher Stunde, sie alle sind weit von hier, sie sind auf dem gleichen Gestirn, das blühend durch die Weltnacht schwebt – ja: da unten, die Füße gegen meine Füße, wandeln sie!

SCHREIBER Leise, Euer Gnaden . . .

RITTMEISTER Seit ich mit diesem Fremdling gesprochen habe, wie fühle ich auf einmal, daß wir sterblich sind! Vor uns die Unzeit, das finstere Unwissen der Dinge; nach uns die Unzeit, das finstere Unwissen der Dinge, die Leere eines Gottes, der in Vulkanen versprüht, in Meeren verdunstet, in Urwäldern blüht und verwelkt, verwest und verkohlt und abermals blüht, ein Gott, der kein Auge hat, seine endlosen Sommer zu schauen – wir aber, wir, seine einzige Hoffnung, daß er geschaut werde, daß er sich spiegle in dem Glanze eines sterblichen Menschenauges, wir, dieser unwahrscheinliche Augenblick, den man die Menschheit nennt, wir, dieser Sonderfall eines einzelnen, eines langsam erkaltenden Gestirnes . . . und ich, ich selber ein Funke dieses Weltaugenblickes: das zu fühlen, das zu wissen, das zu leben –

SCHREIBER Leise, leise!

RITTMEISTER Elvira, ich möchte noch einmal leben, noch einmal weinen können, lachen können, noch einmal lieben können und erschauern vor dem Duft einer Nacht, jauchzen können. Wir erinnern uns kaum, was das war; es waren ja nur Augenblicke in Jahren. Ich möchte noch einmal fühlen, welche Gnade es ist, daß ich lebe, in diesem Atemzuge lebe – bevor es uns einschneit für immer.

Der Diener kommt zurück.

DIENER Euer Gnaden, der Schlitten ist bereit.

Der Diener geht wieder.

RITTMEISTER Wo sind wir stehen geblieben?

SCHREIBER »Unter diesen Umständen . . . und so weiter, teure Elvira, daß auch meine Sehnsucht reisen darf.«

RITTMEISTER Bevor es uns einschneit für immer.

Der Rittmeister entfernt sich, während der Schreiber noch schreibt.

SCHREIBER »– bevor es uns einschneit für immer.«

Er streut Sand auf den Brief.

So ist das nun . . . der verfluchte Vagant! Da schlendert er im Hause herum und knackt Nüsse, betrachtet die Bilder, der elende Heuchler, und unterdessen, droben in der Kammer, da fährt er mit unsrer Herrin auf allen Meeren des Traumes herum . . . entführt sie noch einmal auf dem Schiffe der Erinnerung . . .

Pelegrin ist schon vor einer Weile, als der Schreiber gesprochen hat, in der Türe erschienen; er knackt Nüsse, die er aus seiner Hosentasche holt, und kaut.

PELEGRIN Draußen schneit es noch immer.

SCHREIBER Sieh da! Gerade habe ich Sie verflucht, jawohl, niemand anders als Sie!

PELEGRIN Warum?

SCHREIBER Wissen Sie eigentlich, mein Herr, was Sie angerichtet haben in dieser Nacht?

PELEGRIN Ich? Was?

SCHREIBER Sie Vagant, Sie Gespenst, Sie, was fällt Ihnen

eigentlich ein? Ihretwegen hat man mich geweckt, jawohl, mitten in der Nacht. Was haben Sie zu suchen, möchte ich wissen, was haben Sie zu suchen in den Träumen einer verheirateten Frau?

PELEGRIN Ich?

SCHREIBER Nicht einmal rot werden Sie . . .

PELEGRIN Ich weiß von nichts.

Indem er knackt:

Wunderbare Nüsse, was ihr da habt!

Der Schreiber packt zusammen.

SCHREIBER Wir sind im Bild. Hier dieser Brief! Mitten in der Nacht . . . meinen Sie eigentlich, Sie können alle Zeiten durcheinander machen? Wir sind ein Haus der Ordnung, verstanden! Was vergangen ist, das ist vergangen. Gestern, heute, morgen! Sie blättern in den Jahren herum, vorwärts und rückwärts – so eine Schweinerei!

PELEGRIN Ich verstehe nicht, warum Sie böse sind?

SCHREIBER Warten Sie nur, bis unsere Herrin erwacht: sie wird es Ihnen nicht danken, sie wird es Ihnen schon sagen –

PELEGRIN Was?

Schlittengeklingel

SCHREIBER Da! Hören Sie es nicht? Da fährt er weg, mitten in der Nacht, auf und davon –

PELEGRIN Wer?

SCHREIBER Der Rittmeister.

PELEGRIN Wohin . . .

Während des Folgenden hört man das silberne Schlittengeklingel, wie es sich nach und nach in der nächtlichen Ferne verliert.

Draußen schneit es noch immer. Es schneit eine Stille ringsum, die höher und höher wird. Es schneit auf den Wald, auf die Dächer, auf jeden Weg und jeden Zweig und jeden Pfosten schneit es, Stille, nichts als Stille und Schnee. Wohin man schauen kann, schneit es. Sogar auf die Eiszapfen schneit es. Und es schneit auf den Bach, und einmal wird alles verstummt sein.

SCHREIBER Ich gehe schlafen.

PELEGRIN Tun Sie das.

SCHREIBER Und Sie, warum gehen Sie denn nicht schlafen?

PELEGRIN Ich warte.

SCHREIBER Sie warten auf unsere Herrin?

PELEGRIN Stören Sie sie nicht, solange sie träumt; wecken Sie sie nicht.

Der Schreiber geht, und Pelegrin steht am Fenster.

Ich glaube, ich lebe nicht mehr sehr lange . . . In wenigen Stunden wird der Morgen grauen.

Vierter Akt

In Santa Cruz

PEDRO Santa Cruz . . . Palmen und Agaven, Mauern, Maste, Meer. Manchmal ein Lärm aus dem Hafen, ein Singsang von irgendwoher . . . Das also ist die Spelunke von Santa Cruz, so wie sie damals aussehen mochte. Vor siebzehn Jahren! Es riecht noch immer nach Fischen. Drunten an der Mole, wo unser Schiff vor Anker liegt, da ist es grün wie eine Flasche, das Wasser, eine faule Melone schwimmt darin, vielleicht auch ein Flecken von schillerndem Öl. Und so weiter. Auch damals, denke ich, war es ein solcher Tag, wie Kreide so grell, die Schatten wie Tusch. Droben ein Zwickel von Himmel, natürlich wolkenlos. Die Vögel kenne ich nicht. Und manchmal, mitten in der blauen Stille voll Singsang, rasselt eine Kette – eine Kette . . . Das ist alles, Santa Cruz, so wie man es später erinnert. Auch der Nigger ist da!

Es kommt der Neger, der Austern verkauft.

NEGER Ei, ei! Ei, ei!

PEDRO Ich liebe sein einfaches Gemüt.

NEGER Was muß ich sehen?

PEDRO Obschon er ein Schurke ist. Er war es, der damals das silberne Amulett stahl, als Pelegrin mit ihm raufte. Man kann sich fragen: Warum hat Pelegrin mit ihm gerauft? Wir werden es sehen –

NEGER Warum bist du gefesselt?

PEDRO Darum.

NEGER Ich wollte sagen: Frische Austern, mein Herr! Wie willst du denn die Austern essen, wenn du gefesselt bist? Du bist kein Geschäft für mich . . . sie sagen, du bist ein Poet!

Der Neger grinst, dann geht er weiter.

PEDRO Ich liebe sein schlichtes Gemüt. Er glaubt an den lieben
Gott, wie wir es ihn gelehrt haben. Man muß das Rechte
tun. Was aber ist das Rechte? Es könnte vorkommen, daß
es ein Rechtes nicht gibt. Wie damals in unsrer Geschichte,
wie öfter zwischen Mann und Frau. Was immer sie tun
werden, Elvira und Pelegrin, es kann nur schmerzlich sein.
Womit sie das verdient haben? Weil sie einander lieben,
Mann und Frau, die Gott füreinander geschaffen hat, damit sie schuldig werden aneinander. Das ist die Welt eines
Gottes, den wir den »Lieben« nennen, weil er sich unser
erbarme, – nachher . . .

Elvira und Pelegrin sind erschienen.

PELEGRIN Hier ist Schatten.

ELVIRA Ich kann nicht mehr.

PELEGRIN Ich sehe nicht ein, meine Liebe, warum du weinst?
Kein Tag vergeht, da du nicht weinst. Wer redet denn von
verlassen? Ich beschwöre dich, wer will dich denn verlassen?

ELVIRA Du.

PELEGRIN Wie kannst du so reden!

ELVIRA Du wirst mich verlassen – wenn du weiterfährst.

PELEGRIN Ich fahre nicht ohne dich!

ELVIRA Pelegrin, ich fahre nicht weiter.

Pedro sitzt im Vordergrund.

PEDRO Es ist das alte Lied. Sie lieben sich, kein Zweifel, und
sie werden einander verlassen müssen, kein Zweifel. Das
ist der Widersinn. Man mag es glauben oder nicht. Es
kommt die Stunde, wo es keine Lösung mehr gibt.

Elvira hat sich gesetzt; Pelegrin steht vor ihr.

PELEGRIN Glaubst du eigentlich, daß ich ein Schuft bin? Daß
ich dich in diese Spelunke führe und auf einmal bin ich
verschwunden, ich löse den Anker und lasse dich sitzen?
Hier unter Negern und Matrosen? Glaubst du das? Ich
mache mich aus dem Staube wie ein Dieb, ein Abenteurer,
dem du nichts anderes wärest als ein Glas voll Wein, das

man leert und stehen läßt, unbekümmert, ob es in Scherben geht . . . *Zu Pedro:* Pedro, wo sind unsere Leute? Sie
sollen eilen. Sie sollen uns rufen, sobald das Schiff bereit
ist.

PEDRO Ich will es melden.

PELEGRIN Warum bist du gefesselt? Schon wieder?

PEDRO Ein dummer Scherz. Ich erzähle ihnen eine Geschichte,
sie binden mich los, sobald sie sehen, daß es zutrifft. Aber
in diesem Augenblick, wenn die Mehrzahl es sieht, daß es
zutrifft, in diesem Augenblick ist die wahre Geschichte
natürlich schon weiter, und wenn ich das sage, dann glauben sie es wieder nicht, bevor sie es sehen, und fesseln mich
abermals.

PELEGRIN Was ist das für eine Geschichte?

PEDRO Eine alte Geschichte, Freund –

PELEGRIN Es ist keine Zeit für alte Geschichten. Sie sollen
mich rufen, sobald unser Schiff bereit ist.

Pedro bleibt.

Wir müssen weiter. Der Teufel hole dieses Santa Cruz!
Schon all die dreizehn Tage, seit unser Schiff da unten liegt,
ich zittere jeden Augenblick, man werde entdecken, woher
es stammt, entdecken, daß das Wappen übermalt ist. Was
dann? Ich möchte nicht hängen, Elvira. Ich habe es getan
um unsrer Liebe willen. Das alles weißt du. Wir müssen
weiter.

Er bleibt stehen.

Nun weinst du schon wieder.

ELVIRA Das ist es ja, Pelegrin, du siehst es nicht einmal ein,
warum es so nicht weitergeht, für mich nicht, für eine Frau
nicht.

PELEGRIN Was geht nicht weiter?

ELVIRA Ich bin nicht geboren für ein solches Leben. Ich kann
nicht mehr. Es war ein holder Traum, der mich verführt
hat –

PELEGRIN Ein Traum.

ELVIRA Ich fühle, daß ich erwache, und ich kann nicht mehr.

PELEGRIN Ein Traum. Ich verstehe. Und die Wirklichkeit, das ist das Schloß, das dir der andere versprochen hat, der Edelmann. Du hast ihn verlassen. Ein Traum. Nun erinnerst du dich, daß er dir ein Schloß versprochen hat. Das ist die Wirklichkeit. Ich verstehe.

ELVIRA Wie gräßlich du reden kannst!

PELEGRIN Herrgott im Himmel, was soll ich denn tun? Sage mir doch, was soll ich tun!

ELVIRA Ich sage es ja immer.

PELEGRIN Was?

ELVIRA Ich möchte, daß wir zusammenbleiben.

PELEGRIN Was will ich denn anderes . . .

ELVIRA Für immer. Verstehst du das nicht? Ich möchte, daß wir an einem festen Orte bleiben, wo man weiß: Hier sind wir daheim. Nur dies. Einmal werden wir ein Kind haben, Pelegrin.

PELEGRIN Ja.

ELVIRA Begreifst du das?

PELEGRIN Ein Kind?

ELVIRA Begreifst du das?

PELEGRIN Es soll kommen, wenn es Lust hat. Es soll sehen, wie weit die Welt ist, wie wunderlich der Mensch! Was weiter . . .

ELVIRA Ich möchte, Pelegrin, daß wir heiraten.

PELEGRIN Heiraten . . . *Er löst sich von ihr.*

Ich habe dieses Wort gefürchtet. Schon lange. Und nun, da unser Leck geflickt sein wird und uns die Meere wieder offen stehen, in diesem Augenblick, da sie die Segel hissen, in diesem Augenblick sagst du es.

ELVIRA Ich habe dich nicht geheißen, Pelegrin, daß du mich entführen solltest.

PELEGRIN Heiraten!

ELVIRA Ich möchte nur, was jede Frau, die liebt, von ihrem Geliebten möchte –

PELEGRIN Ein Nest, das man nicht mehr verläßt.

ELVIRA Wenn du kein schöneres Wort dafür weißt, ja.

PELEGRIN Nenne es, wenn es dir besser gefällt, einen Sarg.
Die Ehe ist ein Sarg für die Liebe . . . Nur dies: der Mann
soll sich die Flügel, das bißchen Flügel, das der Mensch
schon hat, abschneiden. Sonst willst du nichts von ihm.

ELVIRA Der Mann denkt immer nur an sich.

PELEGRIN Und du?

ELVIRA Ich denke an das Kind.

PELEGRIN Immer das Kind.

ELVIRA Denke nicht, das Kind ist kleiner als wir. Das Leben,
das vor ihm liegt, es ist länger als das unsere.

PELEGRIN Soll ich mich um des Kindes willen begraben, muß
ich mich selber umbringen, damit es leben kann!
Er muß lachen.
Elvira! Ich sehe es vor Augen, wie wir an einem festen und
sicheren Orte sitzen: ich werde Kohlen schaufeln, damit
wir leben können oder meinen, daß wir leben, oder ich
handle mit Lebertran. Warum nicht! Ich werde verdienen,
daß es eine Art hat, es wird mein Ehrgeiz sein, daß es
keinen Lebertran mehr gibt, der mich nicht bereichert, im
Umkreis von hundert Meilen. Ich werde, Gott stehe mir
bei, den Lebertran verbessern. Dir zuliebe! Ich werde nicht
rasten und ruhen, Tag für Tag, Woche um Woche, Jahr um
Jahr, damit wir leben können, in Sicherheit leben können.
Wozu wir leben? Wozu – der Lebertran will es, die Pflicht,
die Sicherheit für Weib und Kind, für Zofe, Diener,
Köchin, Knecht, der liebe Gott, das Vaterland . . .
Mit ganzem Ernst: Elvira, ich kann das nicht. –

ELVIRA Es ist ein Opfer, ich weiß.

PELEGRIN Niemand kann leisten, was er nicht wollen kann . . .
und nicht einmal du kannst es wollen: Ich werde in dem
Hause sitzen, dir zuliebe, aber meine Sehnsucht wird gegen
dich sein! Kannst du das wollen?

ELVIRA Nicht ich, Pelegrin –

PELEGRIN Wer denn? Wer redet uns denn in die Liebe hinein?

ELVIRA Das Kind. –

PELEGRIN Elvira, ich kann nicht heiraten. Ich kann das nicht.

Pedro, der im Vordergrund sitzt.

PEDRO Das Schiff ist flott, sagen sie. Ein leichter West liegt über der Bucht.

Pedro bleibt wie zuvor.

ELVIRA Ich fahre nicht weiter, Pelegrin.

PELEGRIN Elvira!

ELVIRA Du wirst mich verlassen – wenn du fährst.

PELEGRIN War es nicht schön, was wir erlebten? Bisher. Die uferlosen Nächte da draußen, unsere Nächte, das silberne Scherbeln der Wellen, die glitzernde Straße des Mondes, und alles das andere, was niemand nennen kann, und dann die Morgen, die Sonne, die Segel da oben, die Bläue, die Stille des tosenden Windes, draußen die jagenden Schäume des Meeres: unser Tag, unser Tag ohne Küste . . . das alles, Elvira, reut es dich?

ELVIRA Es reut mich nichts.

PELEGRIN Das alles, Herrgott, ist es nicht schön gewesen?

ELVIRA Es ist gewesen: solange ich ein Mädchen war . . . Das Leben ist wunderlich, Pelegrin, das Leben vollzieht sich immerfort, es entfremdet uns das Glück, noch wenn wir es in Händen halten. Ich bin kein Mädchen mehr.

PELEGRIN O, ich flehe dich an –

ELVIRA Niemand kann leisten, was er nicht wollen kann. Wie recht du hast!

PELEGRIN Fahren wir!

ELVIRA Siehst du, Pelegrin, auch ich kann nicht.

Er schweigt.

Bleibe bei mir, Pelegrin. Was ist Hawai? Ein Name, ein Wort.

PELEGRIN Auch du kannst nicht . . .

ELVIRA Und wenn ich dich frage, Liebster: was willst du auf Hawai? Diese Insel im Stillen Ozean, irgendwo, was macht sie dir so wunderbar über alles? Allein die Angst, du müßtest verzichten darauf. Das ist Hawai.

PELEGRIN Du kommst nicht mit ...

ELVIRA Bleibe bei mir, Pelegrin!

PELEGRIN Und ich kann nicht bleiben, und keines will das andere verlassen, wir lieben einander, und wir können uns nicht trennen, ohne daß wir unsere Liebe verraten, ohne daß wir schuldig werden, und wenn wir zusammenbleiben, geht eines von beiden zugrunde, es tut, was es nicht leisten kann, nicht kann, und auch das ist die Schuld für andere, auch das ...

Er wirft sich auf die Knie.

Was sollen wir tun, Herrgott, was sollen wir tun, Mann und Frau, die Gott füreinander geschaffen hat, auf daß sie einander lieben, einander lieben müssen – was sollen sie tun, das nicht ein Widersinn ist!

Der Neger ist wieder aufgetaucht, hält ihm den Korb hin.

NEGER Frische Austern, meine Herrschaften, frische Austern?

PELEGRIN Scher dich zum Teufel!

NEGER Ganz frisch. Die Herrschaften können versuchen, wenn sie nicht glauben –

PELEGRIN Du sollst dich zum Teufel scheren.

NEGER Keine einzige ist Leiche, meine Ehre, stechen die Herrschaften selber, sehen die Herrschaften, wie munter das alles noch lebt ...

PELEGRIN Scher dich zum Teufel, sage ich. Sie stinken zum Himmel.

NEGER Wohin stinken sie?

PELEGRIN Zum Himmel!

NEGER Gerade vorhin –

PELEGRIN Und du, zum letzten Mal, scher dich zum Teufel, wo du herkommst!

NEGER Ich will Euch sagen, wo ich herkomme. Gerade vorhin habe ich einen fremden Edelmann bedient, ganz nobler Herr, eben angekommen, und schon hat er zwanzig

Austern gegessen – lauter Leichen, meine Ehre, nun habe ich nur noch muntere Tierlein, frische Tierlein.

PELEGRIN Ich sage, sie stinken!

Plötzlich ist die Rauferei da.

Sie stinken, sie stinken . . .

NEGER Hilfe! Erwürgen! Hilfe!

PELEGRIN Ich sage, sie stinken.

Allerlei Gaffer stellen sich ein.

DIE GAFFER Was ist los? Was gibt es? Da raufen sie! Es ist vorbei! Nur immerzu! Es ist zu spät . . .

NEGER Er hat mich erwürgen wollen. Ich hole die Gendarmerie, alles muß er zahlen! Ich hole die Gendarmerie.

PELEGRIN Komm, Elvira, komm.

Pelegrin und Elvira entfernen sich, der Neger erhebt sich, die Gaffer versuchen die Austern, die auf der Straße liegen. Es erscheint der Rittmeister im Wams seiner Jugend. Er schaut sich um und sieht Pedro, der im Vordergrund liegt.

PEDRO Ganz richtig, Euer Gnaden! Das ist der Hafen von Santa Cruz. Wie es scheint, sind Euer Gnaden eben angekommen?

RITTMEISTER Ein munteres Leben.

PEDRO Viel Lärm um nichts.

RITTMEISTER Ich liebe das muntere Leben.

Indem er die Handschuhe auszieht: Bist du ein Wahrsager?

PEDRO Gewissermaßen.

RITTMEISTER Ich dachte es.

PEDRO Euer Gnaden haben einen bemerkenswerten Scharfsinn – noch in der Stunde heimlicher Verwirrung –: Sie sehen meine Fesseln und schon wissen Sie, daß ich die Wahrheit sage.

Der Rittmeister lacht höflich, dann aber stutzt er.

RITTMEISTER In der Stunde heimlicher Verwirrung? Wieso das?

PEDRO Wer weiß es besser als Sie.

RITTMEISTER Was?

PEDRO Euer Gnaden wollen verreisen.

RITTMEISTER Das könnte jedes Kind erraten, wenn es einen Mann sieht mit Gepäck, und das in Santa Cruz. Dazu braucht es keinen Wahrsager! Was weiter?

PEDRO Ja, was weiter . . .

RITTMEISTER Es wundert mich.

PEDRO Sie wissen ganz genau: eine Frau hat Sie verlassen . . . Vielleicht war es vor vielen Jahren, vielleicht war es in dieser letzten Nacht. Das spielt keine Rolle. Eine Frau, die Sie lieben, ist mit einem anderen davon. Mag sein, daß es noch manchmal vorkommt, genau das Gleiche, und immer wieder werden Sie an diesem Orte stehen: vor Ihnen das offene Meer, die Schiffe, die Maste, das andere Leben. So stehen Sie da mit klopfendem Herzen, in der Not einer heimlichen Verwirrung: Was weiter . . .?

RITTMEISTER Ja, was weiter.

PEDRO Sie sind ein Edelmann.

RITTMEISTER Was heißt das?

PEDRO Sie können sich an einer Frau, wenn sie in Not ist, nicht rächen, zum Beispiel. Sie können kein solcher Egoist sein, wie Sie möchten. Sie können nicht tun wie der Andere, den Sie zeitlebens beneiden.

RITTMEISTER Warum kann ich das nicht?

PEDRO Weil keiner ein anderes Leben hätte führen können als jenes, das er führte . . . Das ist es, was ich Ihnen wahrsage: Auch wenn Sie noch einmal, später vielleicht und nach vielen Jahren, nach Santa Cruz kommen und verreisen wollen, nie wird es anders sein als heute. Sie können nicht anders, Sie sind ein Edelmann.

Eine Weile bleibt der Rittmeister starr, dann versucht er zu lächeln.

RITTMEISTER Was kostet diese Weisheit?

PEDRO Tränen, heimliche Tränen und schlaflose Nächte – sonst nichts.

Pelegrin kommt aus dem Hause zurück, rasch, fiebrig, entschlossen.

PELEGRIN Pedro –

RITTMEISTER Gott grüß Euch.

PELEGRIN Euch ebenso ... Wir fahren, Pedro, sofort.

RITTMEISTER Darf ich fragen, wohin Sie fahren?

PELEGRIN Hawai.

Zu Pedro: Wir fahren, sage ich. Der Neger mit seinen blödsinnigen Austern, er holt die Gendarmerie. Die Austern zahle ich gern. Aber die Gendarmerie wollen wir meiden. Wir haben ein übermaltes Wappen, wir müssen weiter.

PEDRO Verstehe.

PELEGRIN Wir müssen weiter, ich kann nicht heiraten, ich kann mich nicht hängen lassen!

Zum Rittmeister:

Sehr geehrter Herr, ich bin nicht höflich gewesen, vorhin –

RITTMEISTER O, Sie haben Eile.

PELEGRIN Hawai ... Wissen Sie, was das heißt? Was das ist? Was das bedeutet?

RITTMEISTER Es ist eine Insel.

PELEGRIN Auch das.

RITTMEISTER Sehr weit von hier –

PELEGRIN Je weiter, um so schöner!

RITTMEISTER Sie reden mir aus dem Herzen.

PELEGRIN Hawai ... Hawai ...

Als wäre es der Rittmeister, der ihm sagte, daß Hawai nichts Besonderes sei.

Sie, da blühen die Zitronen, die Ananas, die Pfirsiche, die Feigen, die Datteln, die Bananen, alles zusammen! Ich sage Ihnen: da gibt es keinen Winter –

RITTMEISTER Keinen Winter.

PELEGRIN Keine Spur von Winter, müssen Sie wissen. Ich habe einen Matrosen gekannt, der ist auf Hawai gewesen. Er hatte einen Stock, ich sage Ihnen, einen alten niederländischen Knotenstock. Auf Hawai ließ er ihn stehen. Aus

Versehen, Sie begreifen. Er hatte sich so auf den Stock ge-
stützt, als er, wie man sich denken kann, ein Mädchen
sah ... die Mädchen von Hawai, vielleicht haben Sie davon schon gehört? Kurz und gut, so einem Mädchen ging
er nach, den Stock ließ er stehen. Nach einem Jahr, das
Schicksal des Matrosen wollte es, kam er wieder nach
Hawai ... Was, glauben Sie, war geschehen? Der Stock,
den er aus Versehen hatte stehen lassen, der alte nieder-
ländische Knotenstock: er blühte. –

RITTMEISTER Er blühte?

PELEGRIN Das ist Hawai!

RITTMEISTER Und da fahren Sie hin?

PELEGRIN Wollen Sie mir sagen, Hawai sei nichts Besonderes? ...

Er reicht ihm die Hand: Leben Sie wohl!

RITTMEISTER Ich möchte eines fragen ...

PELEGRIN Wie ich heiße? Ich heiße nicht.

RITTMEISTER Nehmen Sie mich mit? Wenn ich zahle?

PELEGRIN Von wegen dem Knotenstock?

RITTMEISTER Nehmen Sie mich mit?

PELEGRIN Mein Herr, – ist das Ihr Ernst?

RITTMEISTER Es ist die Sehnsucht eines Mannes, der keine
andere mehr hat.

PELEGRIN Verstehe ...

RITTMEISTER Sie zögern.

PELEGRIN Wissen Sie: der Weg ist lang –

RITTMEISTER Der Weg ist immer das Schönste.

PELEGRIN Eine nette Maxime, sehr nett, aber es könnte sein,
daß uns die Franzosen schnappen. Die Franzosen, das sind
so komische Leute und Erdenbürger, die suchen ein Schiff,
ein ganz gewisses Schiff, das in Marokko untergegangen
ist, man weiß nicht wie ... und dann, wissen Sie, die
Stürme, wir müssen um das Große Kap. Der Durst, die
Zeit der Monsune, das Fieber ... das Fieber, die Piraten –

RITTMEISTER Ich halte mich für einen Mann.

PELEGRIN Und wenn Sie zahlen: topp.

Handschlag

In einer Viertelstunde fahren wir. Es ist das Schiff mit dem roten Wimpel. In einer Viertelstunde fahren wir, mein Freund, wir warten nicht –

Als Gruß: Hawai!

RITTMEISTER Hawai!

Pelegrin entfernt sich, während auf der anderen Seite wieder die Gaffer kommen, in ihrer Mitte der Neger und der Gendarm.

NEGER Hier hat er mich erwürgt.

GENDARM Das sagst du so.

NEGER Und hier, ich schwöre es, hier hat er meine Austern auf die Straße geworfen.

GENDARM Auch davon sehen wir nichts.

NEGER Man muß auch einem Neger glauben, du!

GENDARM Lassen wir die Negerfrage... Gehen wir in das Haus, wohin er geflohen ist.

Sie gehen ins Haus. Es bleiben der Rittmeister und Kilian, der Diener, wie er vor siebzehn Jahren aussehen mochte.

DIENER Das auch?

RITTMEISTER Alles, sage ich. In einer Viertelstunde muß es unten sein.

DIENER In einer Viertelstunde?

RITTMEISTER Hast du verstanden, Kilian: es ist das Schiff mit dem roten Wimpel –

DIENER So ein dreckiges Schiff, Euer Gnaden?

Er rafft das Gepäck zusammen.

Euer Gnaden, ich vertrage das Meer nicht. So auf Bildern, ja. Es hat eine schöne Farbe, aber es stinkt, meistens... Ich dachte es mir anders, Euer Gnaden: Ich würde ein Diener auf dem Schloß, dachte ich. So hat es geheißen in unserem Vertrag. Ich würde die Gläser auf den Tisch stellen, die Vorhänge ziehen, die Kerzen bringen, dachte ich, ich lege das Holz in den Kamin –

RITTMEISTER Vorwärts, Kilian, vorwärts!

DIENER Auch im Garten, Euer Gnaden, auch im Garten könnte ich helfen. Wenn ich denke, wie ich mich eignen würde als Diener in einem Schloß!

RITTMEISTER Mein guter Bursche, auch ich habe es mir anders gedacht –

DIENER So ein schönes Schloß, Euer Gnaden, was wir da hätten haben können!

Er nimmt die Sachen auf.

Das Schiff mit dem dreckigen Wimpel, sagt Ihr?

Der Neger und der Gendarm kommen aus dem Hause zurück.

NEGER Wir haben sie!

GENDARM Es tut mir leid, schönes Fräulein, daß Euer Galan ein solcher Schuft ist, der sich aus dem Staube macht und lieber sein Mädchen im Stiche läßt, als daß er die Austern bezahlt. Es tut mir leid . . .

NEGER Man muß auch einem Neger glauben, Fräulein.

Zum Gendarm: Er hat gesagt, sie stinken, sie stinken, sie stinken –

Elvira erscheint unter der Türe und bleibt stehen.

RITTMEISTER Du, Elvira?

NEGER Ei, ei! Ei, ei!

GENDARM Halte dein weißes Maul!

RITTMEISTER Gendarm –

GENDARM Euer Gnaden?

RITTMEISTER Was ist hier geschehen?

NEGER Ich bin ein Neger –

GENDARM Nichts weiter, Euer Gnaden, es kommt alle Tage vor.

NEGER Ich bin ein Neger –

GENDARM Du mußt nicht sagen, was jeder sieht. Er ist ein armer Kerl, man hat ihn erwürgen wollen, aber es gelang nicht.

NEGER Dieser Herr hat selber von meinen Austern gekauft,

und ich frage den Herrn: Wie waren die Austern, frisch
oder nicht?

GENDARM Euer Gnaden, das spielt keine Rolle. Man hat ihm
die Austern auf die Straße geworfen, faktum. Jemand muß
sie bezahlen, faktum. Auch die Negerfrage spielt keine
Rolle –

RITTMEISTER Ich will es zahlen.

GENDARM Das ist nicht nötig, Euer Gnaden, wir haben ein
Pfand, das uns durchaus genügt –

RITTMEISTER Und das Mädchen lassen Sie in Ruhe.
Der Rittmeister zahlt.

NEGER Ein schlauer Herr.

GENDARM Bedanke dich!

NEGER Ich?

GENDARM Wo ist dein Anstand?

NEGER Herr, ich habe die Austern nicht auf die Straße ge-
worfen.
Indem er zurückgrinst: Ein schlauer Herr: Er zahlt die
Austern, und er kauft das Mädchen.
Der Rittmeister und Elvira bleiben allein.

RITTMEISTER Hier also treffen wir uns wieder.

ELVIRA Ja, es ist traurig.

RITTMEISTER Wie du sehen kannst, Elvira, verreise ich.

ELVIRA Wohin?

RITTMEISTER Hawai . . .

ELVIRA Zu hoffen, daß wir uns wiedersehen, ich wagte es
kaum mehr. Und dennoch dachte ich immer, wie es sein
müßte! Und ich schämte mich in den Boden hinein, obschon
ich an allem nicht schuld bin; dennoch schämte ich mich.

RITTMEISTER Das Weib ist niemals schuld, ich weiß. Allein
der Anschein, daß das Weib nicht handelt, spricht schon zu
seinen Gunsten.

ELVIRA Wie begreife ich deine bitteren Worte! Wie tust du
mir leid, mich so zu sehen . . .

RITTMEISTER Ich danke für dein Mitleid.

ELVIRA Das alles, mein treuer Freund, du hast es nicht verdient!

RITTMEISTER Dennoch werde ich reisen.

ELVIRA Ich kann dich nicht halten, ich weiß, mit aller Liebe nicht. Wie sollst du meiner Liebe glauben können? Ich habe dich nie vergessen ...

Sie verbirgt ihr Gesicht.

So gräßlich ist alles!

RITTMEISTER Elvira, ich kann nichts dafür.

ELVIRA Mein Freund, wie hätten wir es schön haben können! Wenn mein Vater von deinem Schloß erzählte, machte es mich immer ganz melancholisch: Womit, sagte ich oft, womit habe ich das verdient, daß ich auf einem Schloß sitzen soll? Mein Vater lachte dann und sagte: Weil du schön bist, Elvira ... Und gerade das ist nun mein Unglück geworden, das uns alles, was hätte sein können, zu Scherben geschlagen hat, so, daß ich dasitze an diesem Ort und dankbar sein darf für die Güte, die mich von einem Neger loskauft.

RITTMEISTER So mußt du nicht reden.

ELVIRA Dankbar für die schmerzliche Trauer, mein Freund, daß ich dich noch einmal habe sehen dürfen. Ich gäbe die Schmerzen nicht hin, damit es nicht gewesen wäre.

Der Diener holt das letzte Gepäck.

DIENER Euer Gnaden, sie lösen den Anker ...

Der Diener geht mit dem letzten Gepäck.

ELVIRA Ich verstehe, wenn du mich jetzt verlassen wirst. Nach allem, was uns geschehen ist, ich verstehe es ganz und gar.

RITTMEISTER Und du?

ELVIRA Es ist dein gutes Recht. Ich kann dir nicht zürnen, wenn du mich verlassen wirst ...

RITTMEISTER Und du?

ELVIRA Darum kümmere dich nicht.

RITTMEISTER Elvira!

ELVIRA Dein Diener hat gesagt, sie lösen den Anker ...

RITTMEISTER Sage mir, was aus dir werden soll?

ELVIRA Ich sage dir: Lebe wohl!

RITTMEISTER Und du? Du? Sage mir das.

ELVIRA Sie lösen den Anker. Hörst du? Mir ist, ich fühle es am eigenen Leib: Sie lösen den Anker, dann stoßen sie mit den langen Stangen, dann drehen sie das Steuer, das ächzt, dann blähen die Segel ... Mir schwindelt. Ich möchte nicht, daß du bleibst, daß es dich reut, wenn du bleibst; du sollst nicht bei mir bleiben aus Mitleid, aus Anstand ... Was aus mir werden soll? Ich warte auf dich. Vielleicht, daß du noch einmal wiederkehrst, und was sollte ich anderes machen mit meiner Liebe zu dir, als daß ich warte, als daß ich dir nachschaue, deinem Wimpel, wie er versinkt am Horizont dieser Stunde, und dennoch hoffe, dennoch dich liebe ...!

RITTMEISTER Von wem redest du?

ELVIRA Von wem? Von dir ...

Sie bricht zusammen, so daß er sie halten muß.

DIENER Euer Gnaden?!

RITTMEISTER Schweig!

DIENER Euer Gnaden – sie fahren ...

RITTMEISTER Ich weiß.

Sie stehen reglos da, – während Pedro als einziger, der sich noch bewegt, nach vorne tritt: er ist nicht mehr gefesselt, er schlenkert die Fesseln in der Hand.

PEDRO So ungefähr war es damals, so ungefähr ... Sie gingen auf das Schloß ihrer Ehe, Elvira und der Rittmeister. Er ist ein Edelmann, ich sagte es ja: Er kann nicht anders. Ein Kind kam zur Welt. Und so weiter. Der Andere fuhr um das Große Kap, in Madagaskar schnappten ihn die Franzosen, die Aussicht auf Galeere, das Fieber, eine Krankenschwester gab ihm Blut ... Das alles wissen wir schon ... Wir spielen noch das letzte Bild: heute, siebzehn Jahre später. Es ist, auch dieses wissen wir, die letzte Nacht, die Pelegrin zu leben hat.

Fünfter Akt

Im Schloß
Pelegrin steht am Fenster, so, wie wir ihn am Ende des
vorletzten Bildes gesehen haben. Er knackt Nüsse. Immer
noch. Und Elvira sitzt in einem Sessel, ebenfalls wartend;
es brennen die Kerzen.

PELEGRIN In einer Stunde wird der Morgen grauen.

ELVIRA Ich frage dich noch einmal, Pelegrin: Was hast du
dem Rittmeister erzählt? Ihr habt bis Mitternacht getrunken, höre ich –

PELEGRIN Getrunken?

ELVIRA Du hast ihm erzählt, was damals zwischen uns gewesen ist? Vor siebzehn Jahren. So wie das Männer unter
sich erzählen!

PELEGRIN Wie Männer unter sich erzählen ... Woher weißt
du das? Du mußt nicht alles glauben, was in den Büchern
steht, Elvira.

ELVIRA Ich beschwöre dich, Pelegrin: was hast du ihm erzählt?

PELEGRIN Von uns, meinst du?

ELVIRA Von uns.

PELEGRIN Kein Wort.

ELVIRA Kein Wort?

PELEGRIN Ich habe nicht wissen können, daß der Rittmeister
nichts davon weiß. Offen gestanden, ich dachte gar nicht
daran, was ich alles hätte anrichten können ...
Indem er in die Hosentasche greift.
Wunderbare Nüsse, was ihr da habt!

ELVIRA Ich weiß nicht, was ich denken soll. Von dieser Nacht.
Was ist denn geschehen?

PELEGRIN Ich habe ihm von Hawai erzählt –

ELVIRA Hawai?

Der Diener tritt ein.

ELVIRA Und?

PELEGRIN Er selber sagte nicht viel.

ELVIRA Und?

DIENER Euer Gnaden, wir sind in der Stallung gewesen. Wie Euer Gnaden befohlen haben.

ELVIRA Und?

DIENER Zwei Pferde sind weg, die Rosinante und der Casanova. Auch der Schlitten ist weg.

ELVIRA Es ist kein Traum.

DIENER Euer Gnaden: der Rittmeister ist verreist.

ELVIRA Verreist . . .?

DIENER Wie ich schon sagte.

ELVIRA Mitten in der Nacht? Hinaus in den Schnee?

DIENER Es scheint so, Euer Gnaden.

ELVIRA So ein Wahnsinn . . . Wer hat ihm die Pferde geschirrt, das möchte ich wissen! Mitten in der Nacht! Wecke die Leute, frage sie. Und schicke den Tölpel hierher.

DIENER Wie immer Ihr ihn nennen wollt, Euer Gnaden, ich bin es.

ELVIRA Du selber?

DIENER Der Herr haben es befohlen.

ELVIRA Und dann, wo es auf jeden Augenblick ankommt, damit wir ihn einholen, dann gehst du hinüber in den Stall, um nachzusehen, ob der Schlitten noch dort sei, den du selber geschirrt hast?

DIENER Euer Gnaden haben es befohlen.

ELVIRA Großer Gott, was soll das alles heißen –?

DIENER Euer Gnaden haben mir nicht glauben wollen.

ELVIRA Verreist, sagst du? Wohin?

DIENER Das haben der Herr nicht gesagt.

ELVIRA Was hat er denn gesagt?

DIENER Der Herr haben gesagt, zum Beispiel –

ELVIRA Besinne dich genau!

DIENER Leise! hat er gesagt. Unsere Herrin schläft, unsere Herrin träumt –

ELVIRA Träumt?

DIENER Leise! hat er gesagt, damit unsere Herrin nicht erwacht, ich glaube, ihr Traum ist schön!

ELVIRA Was hat er sonst gesagt?

DIENER Kilian, hat er gesagt, halte mir den Mantel –

ELVIRA Und?

DIENER Kilian, du hast das Leben nie begriffen, hat er gesagt, das Leben ist eine muntere Sache, das Leben ist ein großer Traum.

ELVIRA Und?

DIENER Genau das war alles.

Kurze Stille

ELVIRA Es setze sich einer auf das andere Pferd, mein eigenes Pferd. Sofort! Er reite dem Rittmeister nach, bis er erfährt, was das bedeuten soll. Und wenn mein Pferd zu Tode sinkt, ich werde ihn belohnen, daß seine Enkel noch davon erzählen mögen.

DIENER Euer Gnaden befehlen.

ELVIRA Ich warte hier.

Der Diener entfernt sich.

Mein guter Mann, mein lieber Mann! Wenn ihm nur nichts zustößt!

PELEGRIN In einer Stunde wird der Morgen grauen.

ELVIRA Da fährt er hinaus in den Schnee, in diese Sintflut von Schnee, vor drei Tagen noch haben sie die Bäumlein gesteckt, den ganzen Weg entlang, schon gestern sah man keinen Zweig mehr davon, nichts, nichts! Wenn ich daran denke, daß er durch das Tobel fährt – so ein Wahnsinn! . . .

Sie bleibt stehen.

Warum tust du uns das alles an?

Da Pelegrin sich wendet.

Ja – du!

PELEGRIN Was tue ich an?

ELVIRA Was suchst du hier? Was willst du überhaupt?

PELEGRIN Man hat mich eingeladen.

ELVIRA Ich sage dir, Pelegrin, unsere Ehe ist glücklich, voll-
kommen glücklich, und wenn man hundertmal über die
Ehe lächelt –

PELEGRIN Wer tut das denn?

ELVIRA Ein Wunderbares ist um die Ehe! Als wir uns heirate-
ten, damals vor siebzehn Jahren, ich habe nicht gewußt, wie
sehr, wie ehrlich ich ihn einmal würde lieben können! Man
muß sich kennenlernen, so wie wir, ohne daß man verliebt
ist. Ein Mann wie Er, ich habe ihn fast nicht verdient!
Lächelnd:
Manchmal, wenn ich ihn nicht sehe, kommt er mir vor wie
der liebe Gott, so kann man sich verlassen auf ihn. Als ich
das letzte Jahr an einer Grippe lag, zehn Wochen lang, und
dann, als ich zum ersten Male aufstehen durfte – mein
Papagei! ich hatte ihn wahrscheinlich vergessen, aber siehe,
er lebt! Er hat ihn gefüttert, zehn Wochen lang, obschon er
ihn haßt. So ist er, an alles denkt er . . .
Pelegrin futtert Nüsse und nickt.
Das ist das Gräßliche: Was immer er tut, ich weiß genau,
er tut es mir zuliebe. Und wenn er in die Nacht hinaus-
fährt und mich verläßt, der ganze Wahnsinn dieser plötzlichen Reise: er meint vielleicht, ich wolle allein sein mit
dir. Der Gute! Er weiß es nicht, daß du für mich überhaupt
keine Rolle mehr spielst . . .
Der Diener ist wieder erschienen.
Was gibt es?

DIENER Euer Gnaden –

ELVIRA Er ist zurück? Um Himmelswillen! . . .

DIENER Euer Gnaden, ich bringe die neuen Kerzen.
Er stellt sie hin und entfernt sich.

PELEGRIN Du fragst, was ich wollte?
Er kommt vom Fenster zurück.
Ich saß in der Pinte – ja, schon eine Woche ist es her – ich
hörte, wer auf diesem Schlosse wohnt, ein Zufall! Ein
andrer Zufall, und ich hätte es nicht gehört: wir hätten ein-

ander auf dieser Erde nicht wiedergesehen. Hundert
Schritte, und wir wären aneinander vorübergegangen, du
und ich, hinaus in die Nacht ...

Elvira schweigt.

Morgen reise ich weiter.

Elvira schweigt.

Zwei Menschen, daß sie zur selben Zeit in einem Raume
stehen können, jetzt und hier, daß sie zur selben Zeit auf
dieser Erde leben, es dünkte mich so wunderbar ... nichts
weiter ... Ich nahm die Gitarre, ich weiß nicht, was anderes ich wollte: es war Musik.

ELVIRA Du wolltest mir, sagtest du nicht, einen Besuch
machen?

PELEGRIN Zum Beispiel, ja, man nennt das so.

ELVIRA Und wozu?

Höhnisch.

Weil wir uns einmal liebten? Früher.

PELEGRIN Das glaube ich auch, daß wir uns einmal liebten.

ELVIRA Und nun, da du gerade in der Gegend warst, lockte es
dich, zu sehen, wieviel davon geblieben ist? O, ich verstehe.

Pelegrin schaut sie an und schweigt.

Oder du wolltest im Vorübergehen schauen, ob Elvira
weiß, wie weit du es gebracht hast: ohne sie. Rund um die
Welt! Ich bin unterrichtet, meine Zofe hat es mit Bewun-
derung erzählt.

Pelegrin schaut sie an und schweigt.

Oder du wolltest vielleicht erfahren, ob ich glücklich bin,
obschon du vor siebzehn Jahren – mir gegenüber – ein
Schuft gewesen bist?

PELEGRIN Das sagst du so.

ELVIRA Ja, ich bin glücklich, Pelegrin. Ich bin's. Was willst
du weiter? Soll ich es unterschreiben, damit du getrost von
hinnen reisen kannst?

PELEGRIN Ohne Unterschrift, ohne dein Angebot einer Unterschrift, ich hätte es geglaubt.

ELVIRA Einmal, vor Jahren, hast du mir geschrieben, es war ein Gruß aus Java, glaube ich.

PELEGRIN Korea.

ELVIRA Weißt du auch, wie mir zumute war, als dieser alberne Gruß in meinen Händen lag, dies alberne Geschwätz nach Jahr und Tag?

PELEGRIN Wenn wir wüßten, wie dem Empfänger zumute ist, Elvira, wo würde noch ein Brief geschrieben? Das macht den Zauber des Briefes: er ist ein Wagnis ...

ELVIRA Mir graute vor Scham, daß ich den Kerl, der diesen Wisch geschrieben, einmal von Herzen geliebt habe, ja, mir ekelte vor dir! Verstehst du das?

PELEGRIN Offen gestanden: nein ... eigentlich nein.

ELVIRA Mir ekelte, je älter unsere Ehe wurde in diesem Haus, mir ekelte vor einem solchen Feigling, wie du es bist. Du hast mir, wie du auf jenem albernen Fetzen schreibst, einen treuen und verlässigen Gatten gewünscht ...

PELEGRIN Es war mein Ernst.

ELVIRA Ja: damit du selber dich ins Reich der Verlorenen entziehen kannst, dorthin, wo man jung und unvergänglich bleibt, unverwüstlich! Das ist es doch. Du hast die Ehe nicht gewollt, damit dir meine Sehnsucht erhalten bliebe. Es ist eine Hinterlist ohnegleichen. Du wolltest mehr als das Weib neben dir: du wolltest in ihrem Traume sein ... ! Und den Tag und die Nähe, das Wirkliche, das sich in tausend Küssen der Gewöhnung verbraucht und verleert, das Alltägliche, das ließest du gerne dem andern, dem treuen und verlässigen Gatten, den du mir gewünscht hast ... Wozu? Damit ich keinen andern Geliebten mehr habe, gebunden in ehelicher Treue, keinen anderen außer dem vergangenen: außer dir!

Pelegrin lächelt.

War es nicht so?

PELEGRIN So viel, ich gebe es zu, habe ich darüber niemals nachgedacht.

ELVIRA Tue es, und am Ende wirst du einen Schuft finden, einen Meuchler der Liebe, einen Feigling vor dem wirklichen Leben, das aufzubrauchen du den Mut nicht hattest, nie, auch mit den andern Frauen nicht – denn ich weiß, ich bin nicht die Einzige gewesen . . . !

PELEGRIN Elvira?

ELVIRA Willst du das Gegenteil sagen?

PELEGRIN Daß du nicht die Einzige gewesen bist, Elvira, meine liebe Elvira, das ist doch selbstverständlich.

ELVIRA Verstehe.

PELEGRIN Vielleicht bist du die Einzige, Elvira, die das versteht . . .

ELVIRA Verstehe: die Untreue des Mannes, womit er sich schmeichelt, es ist eure Art von Putz, nichts weiter, ein wenig Glanz von Abenteuer, von Leidenschaft um jeden Preis, worauf ihr eitel seid . . .

Ausbruch

Pelegrin! Warum bist du gekommen? Nichts verstehe ich, gar nichts! Sage es mir: warum? Nach siebzehn Jahren! Was willst du von mir?

Er schweigt.

Bist du gekommen, um Nüsse zu knacken? Um hier in einem Buch zu blättern?

PELEGRIN Warum nicht . . .

ELVIRA Warum nicht.

PELEGRIN Ich liebe die Bücher, die ich nicht kenne.

ELVIRA Bist du gekommen, um zu sehen, ob ich noch immer an dir hänge? An dir leide? Auf dich warte?

Er blättert.

Oder wolltest du sehen, wie ich dich hasse, wie ich dich durchschaue, wie ich dich verachte?

Er blättert.

Warum bist du gekommen? Daß uns das Vergangene noch einmal rühre, nichts weiter, man verzeiht sich, alles in Minne, man lächelt, man scherzt über vergossene Tränen, nichts weiter, es war eine Episode für den Mann, und die Wehmut, sie macht noch einmal ein Episödchen daraus, einen Nachtrag der Wonne, einen Besuch im Vorübergehen, einen gefühlvollen Abend bei Nüssen und Wein ...

Er blättert.

Du schweigst dich aus.

PELEGRIN Elvira, du bist nicht großmütig ... Du willst mich zwingen, daß ich rede. Daß ich lüge. Daß ich mich selber deute! Darum und darum bin ich gekommen. Als ob ich es selber wüßte. Du willst aus meinem Munde nur das Wort, das mich ins Unrecht setzt: damit du mich los wirst ... Ich weiß nicht, Elvira, warum du dich fürchtest vor deinem eigenen Herzen.

ELVIRA Tue ich das?

PELEGRIN Weiß einer, wie es war? Vor Jahr und Tag. Weißt du es oder ich, was jetzt, in dieser Stunde unseres nächtlichen Wartens, die ganze Wahrheit ist.

Er nimmt sich ein anderes Buch.

Hätten wir, so wie wir stehen, nur eine Stunde lang schweigen können! Nur das ... Du hättest sticken können oder lesen; ich hätte diese Bücher betrachtet, Schmetterlinge, all diese gemalten Pflanzen: Melaleuca folia zum Beispiel ... und dann, ja, dann wäre ich weitergegangen.

ELVIRA Und dann?

PELEGRIN Für immer, glaube ich.

ELVIRA Und dann?

PELEGRIN Noch einmal wäre das Leben um uns gewesen.

Er setzt sich ans Klavichord.

In Honolulu kannte ich einmal einen Kapitän, der, alt wie er war, nur noch eine einzige Geliebte hatte: die Astronomie. Da ging ihm nichts darüber. Wir lachten ihn jedesmal aus, weil er nichts andres schwatzen konnte. Alles andere war eine Nebensache, seit er in der Kajüte so einen dicken Schmöker gefunden hatte. Vielleicht das erste Buch, das er in seinem Leben las, und wie er es las! Wenn er in die

Kneipe kam, wo wir mit Negerinnen tanzten, erzählte er von der Milchstraße, als wäre sie gestern geschehen . . .

Er nimmt eine Apfelsine aus dem Teller.

Jedesmal, wenn man sich zu ihm setzte, nahm er eine solche Apfelsine: Das, sagte er, das ist der Mond. Er duldete kein Lächeln dabei! Und jener Globus dort, das ist die Erde. Und das ist der Mond. Sieben Schritte mußten es sein, ich weiß noch genau. Und was ist dazwischen? sagte er: was ist dazwischen? Nicht einmal Luft, nicht einmal Licht, nichts als die Nacht, das All, der Tod, nichts, was auch nur einen Namen verdient – nichts!

ELVIRA Wer sagte das?

PELEGRIN Der Kapitän von Honolulu . . . Gesetzt den Fall, sagte er, ich habe eine Schwester, die ist in Europa geblieben, die Gute; gesetzt den Fall, sie steht auf dem Markte von Barcelona, und in diesem Augenblick, was tut sie, sie hält eine Melone in Händen: das wäre der erste Stern, eine Melone in Barcelona: der nächste Stern – und was ist dazwischen? sagte er. Nichts als die Nacht, das All, der Tod. So groß, meine Freunde, so groß ist das Nichts, so selten das Leben, das Warme, das Vorhandene, was ihr begreift, das Lichtlein, das brennt. So selten ist das, was ist.

Er schält die Apfelsine.

Ich wette keinen Schnitz, daß die Verhältnisse stimmen. Er war ein Kauz. Ich konnte keine Apfelsine mehr schälen, ohne daß ich daran denken mußte.

ELVIRA Warum erzählst du mir das?

PELEGRIN Ich kam so drauf . . . Hätten wir zusammen eine Apfelsine geschält, Elvira; noch einmal wäre das Leben um uns gewesen . . .

Sie horcht.

ELVIRA War das nicht ein Schlittengeklingel?

Es scheint nicht der Fall zu sein.

PELEGRIN So, wie du in dieser Nacht gesprochen hast, ich hörte nur, wie klug du bist.

ELVIRA Und die Frau, sie soll ja nicht klug sein!

PELEGRIN Du hast Geheimnisse, glaube ich, die dein Verstand behüten muß; du brauchst ihn sehr, drum wird er so spitz.

ELVIRA Bist du gekommen, um mir die eigenen Geheimnisse auszuplaudern?

PELEGRIN Was gehen sie mich an ...

ELVIRA Ja eben, du willst ja nicht wissen, wozu du gekommen bist!

PELEGRIN Könnte es wirklich nicht sein, Elvira, daß ich überhaupt nichts mehr wollte?

ELVIRA Dennoch bist du gekommen.

PELEGRIN Dennoch bin ich gekommen ...

Er ißt seine Apfelsine

Ich dachte es mir richtig, sogar schön. Wir sind ja, dachte ich, nicht Richter über einander. Du kannst mich für einen Schuft halten; Gott wird mich danach empfangen, wenn ich es war, und meinerseits denke ich in diesem Augenblick, das Weib ist nicht großmütig. Gott, wenn er ebenso denkt, wird dich empfangen danach ... aber auf jeden Fall, dachte ich, sind wir einander in diesem Leben begegnet, wir haben einander geliebt, jedes nach seiner Art, nach seinem Alter, nach dem Vermögen seines Geschlechtes. Und beide leben wir noch: jetzt in diesem Augenblick, an diesem Ort ... Warum sollen wir einander nicht grüßen? dachte ich.

ELVIRA Warum sollen wir es?

PELEGRIN Unser Leben ist kurz.

ELVIRA Glaubtest du am Ende, du könntest mich noch einmal entführen?

PELEGRIN Wozu?

ELVIRA Noch einmal eine Episode für den Mann ...

Pelegrin hat einzelne Tasten angeschlagen. In der Art eines Kindes, das spielen möchte und es nicht gelernt hat. Schon vorher ist Viola erschienen, sie steht im Nachtkleid unter der Türe.

ELVIRA Um Gottes willen ...! Kind, wie kommst denn du hierher?

VIOLA Ich kann nicht schlafen.

ELVIRA Um diese Zeit!

VIOLA Ich habe so gräßliche Angst, Mama ...

ELVIRA Warum denn?

VIOLA Ich träume so gräßliches Zeug, Mama ...

ELVIRA Aber Kind!

VIOLA Mama, der Tod ist im Haus.

Sie schaut die Mutter an, dann erschrickt sie über ihre eigene Gewißheit, sie weint, Elvira muß sie halten.

ELVIRA Komm, Viola, komm! Setz dich! Hab keine Angst, ein bloßer Traum hat dich erschreckt. Nichts weiter. Du mußt nicht weinen. Wir trinken einen heißen Tee ... Hörst du? Ich werde dir den Mantel holen ... Kilian!

Elvira geht hinaus. Pelegrin versucht zu spielen.

PELEGRIN Der Morgen graut. —

Viola schweigt.

Sie müssen sich nicht fürchten, mein liebes Kind, gar nicht. Es ist nichts Gräßliches dabei: Ich habe gelebt.

Viola schweigt.

Können Sie spielen? Wenn ich noch einmal leben würde, ich möchte es lernen; ich denk' es mir schön.

VIOLA O ja.

PELEGRIN Auch Malen ist schön.

VIOLA O ja, und vieles noch.

PELEGRIN Sehr vieles ...

Viola schweigt.

Ich kenne eine Muschel, die es nicht gibt, eine Muschel, die man nur denken kann, so schön ist sie, und wenn man an allen Küsten streifte und tausend Muscheln eröffnete, alle zusammen: nie sind sie so schön wie die Muschel, die ich mir denken kann ... Du aber bist es! sagte ich den Mädchen, wenn ich sie liebte: du aber bist es! Weiß Gott, ich meinte es ernst, und die Mädchen glaubten es, so wie ich

selber es glaubte. Aber die Mädchen vergehen, es werden
Frauen daraus, und auch die Frauen vergehen – und am
Ende bleibt nur noch die Muschel, die es nicht gibt, die
Muschel, die man sich denken kann.

Schlittengeklingel

Darf ich fragen, mein Kind, wie alt Sie sind?

VIOLA Ich? Siebzehn.

PELEGRIN Siebzehn?

VIOLA Warum schauen Sie mich so an?

Schlittengeklingel

PELEGRIN Da ist er, glaube ich. Da ist er!

VIOLA Wer?

PELEGRIN Der Rittmeister: Ihr Vater ... Wir kennen einander seit siebzehn Jahren, Ihr Vater und ich. Schon damals wollte er nach Hawai, damals wie heute.

VIOLA Mein Vater?

PELEGRIN Er ist ein Edelmann.

VIOLA Und warum ging er nicht?

PELEGRIN Weil ein Kind auf ihn wartete, damals wie heute...
Da ist er, glaube ich, gehen Sie ihm entgegen. Da ist er.

*Viola gehorcht ihm, langsam entfernt sie sich, ohne den
Fremdling aus den Augen zu lassen; auch er schaut ihr nach,
bis sie im Dunkeln der Türe verschwindet.*

PELEGRIN Man kann nicht beides haben, scheint es. Der eine
hat das Meer, der andere das Schloß; der eine hat Hawai –
der andere das Kind ...

Elvira kommt mit dem Schreiber zurück.

ELVIRA Was für ein Brief? Gib her!

SCHREIBER Euer Gnaden –

ELVIRA Bist du es, der geritten ist?

SCHREIBER Euer Gnaden verzeihen, wenn ich so aussehe. Ich
komme aus dem Bett. Es ist das zweite Mal in dieser Nacht,
daß man mich weckt ...

ELVIRA Was ist das für ein Brief?

SCHREIBER Unser Herr, der Rittmeister, haben ihn geschrieben in dieser Nacht, damit ich ihn zum Frühstück lege.

ELVIRA Zum Frühstück?

SCHREIBER Kilian meinte, jetzt, da Euer Gnaden schon aufgestanden sind ...

Elvira liest den Brief.

Sind das nicht Schritte gewesen? Euer Gnaden, ich glaube, der Rittmeister ist schon wieder da ...

Der Schreiber, der keinerlei Antwort bekommt, entfernt sich.

ELVIRA So ist das nun! ... Er möchte noch einmal leben, schreibt er, noch einmal weinen können, lieben können und erschauern vor dem Duft einer Nacht, jauchzen können: bevor es uns einschneit für immer ... Warum konnten wir nicht ehrlicher sein?

Sie kann sein Gesicht nicht sehen, so wie er am Klavichord sitzt: es ist reglos und weiß wie eine Maske aus Wachs.

O Pelegrin! Glaube kein Wort, was ich dir sagte in dieser Nacht ... Ich habe dich einen Schuft genannt: weil ich es für schuftig hielt, daß ich träumte von dir, siebzehn Jahre lang träumte von dir ... Jetzt darf ich es sagen, Pelegrin: es ist schön, daß du gekommen bist ...

Der Rittmeister steht unter der Türe.

Warum konnten wir nicht ehrlicher sein?

RITTMEISTER Ich wollte verreisen.

ELVIRA Ich weiß.

RITTMEISTER Es ist nicht möglich ... Und du?

ELVIRA Ich habe gewartet auf dich. Ich habe geträumt ...

RITTMEISTER Ich weiß.

ELVIRA Und als ich erwachte, da suchte ich dich umsonst im ganzen Haus. Hier fand ich Pelegrin. Ich habe ihn verhöhnt, dir zuliebe.

RITTMEISTER Mir zuliebe?

ELVIRA Der Treue zuliebe. Seit siebzehn Jahren glaubte ich, ich müßte lügen, ich müsse, damit ich dir treu sei, so, wie

ich meinte, daß du es seist ... Und dann habe ich deinen
Brief gelesen, gerade jetzt.

RITTMEISTER Hast du.

ELVIRA Warum konnten wir nicht ehrlicher sein? Es fehlte so
wenig. Wie hätten wir einander begriffen! Du hast deine
Sehnsucht begraben, wie du schreibst, Jahre lang, damit sie
mich nicht erschreckte, und ich habe mich meiner Träume
geschämt, Jahre lang, weil ich wußte, sie würden dich erschrecken. Keines wollte das andere enttäuschen ... das ist
die kleine Komödie, die wir so lange, so lange gespielt
haben: bis Pelegrin gekommen ist.
Sie schreit, da sie den Toten gewahrt.
Pelegrin??

RITTMEISTER Jetzt begreife ich ...

ELVIRA Warum lächelst du so?

RITTMEISTER Jetzt begreife ich, was er mir sagte in dieser
Nacht. Er sagte es so heiter, ich konnte nicht glauben, daß
es sein Ernst sei.

ELVIRA Pelegrin!

RITTMEISTER Er hat es gewußt.

ELVIRA Warum hast du es mir nicht gesagt, o Freund! Lächle
nicht so, ich knie vor dir. Wir haben uns Unrecht getan,
wir alle zusammen. Gott hat das alles viel schöner gemeint
... Wir dürfen uns lieben, wir alle, jetzt kann ich es sehen:
das Leben ist anders, die Liebe ist größer, die Treue ist
tiefer, sie muß unsere Träume nicht fürchten, wir müssen
die Sehnsucht nicht töten, wir müssen nicht lügen ...
O Pelegrin! Hörst du mich? Wir werden zusammen eine
Apfelsine essen, hörst du, wir werden zusammen eine Apfelsine essen: Noch einmal wird das Leben um uns sein ...
Lächle nicht so!

RITTMEISTER Elvira ...

ELVIRA Warum habe ich es nicht gehört, solange du gesprochen hast, warum?

RITTMEISTER Weine nicht, Elvira. Es ist, hat er gesagt, nichts

Gräßliches dabei: Ich verwünsche nichts, was ich erlebt habe, und nichts, was ich erlebt habe, wünsche ich noch einmal zurück ... Er sagte es so heiter.

Während alles ringsum, die Wände des Zimmers und Elvira und der Rittmeister, der die Zusammenbrechende hält, so wie er sie schon einmal hat halten müssen, als Pelegrin sie verließ – während das alles ins Dunkel versinkt, ertönt Musik, und rings um ihn erscheinen die Gestalten.

DIE ERSTE Ich bringe von Kuba den ersten Kaffee.

DIE ZWEITE Ich bin das Mädchen, das du nie berührt hast, Anatolia.

DIE DRITTE Ich bringe dir die Früchte: Ananas, Pfirsich, Feigen, Trauben; es sind die Früchte des nächsten, des kommenden Jahres.

DIE VIERTE Ich bin die Schwester, die dir Blut gab, im Hospital auf Madagaskar.

DIE FÜNFTE Ich bringe dir die Bücher: Sophokles, Virgil, Konfuzius, Byron, Cervantes und alles, was du noch einmal hättest lesen wollen. Waben voll Geist der Jahrhunderte, Kerzentropfen darauf.

DIE SECHSTE Ich bin der Kapitän von Honolulu, der sich, Gott weiß warum, noch dreimal wird an dich erinnern müssen.

DIE SIEBENTE Ich bringe dir den Wein, den du verschüttet hast.

DIE ACHTE Ich bin die Mutter, die du nie gesehen hast, Pelegrin; ich starb an dir.

DIE NEUNTE Ich bin der Tod.

PELEGRIN Das wissen wir ...

DIE LETZTE Ich bin aus deinem Blute das Kind, Viola, die alles von neuem erfährt, die alles noch einmal beginnt.

Nun singen sie wieder

Versuch eines Requiems

Personen
(in der Reihenfolge ihres Auftretens)

Herbert
Karl
Der Pope
Maria
Oberlehrer
Liesel
Leutnant
Der Andere
Eduard
Der Funker
Hauptmann
Gefreiter
Thomas
Benjamin
Eine Frau
Hauswart
Der Alte
Das Kind
Jenny
Der Bub

Erster Teil *Das Leben*

Erstes Bild

Herbert, ein Offizier, und Karl, ein Soldat.

HERBERT In einer Stunde ist es Nacht ... Wir müssen sehen, daß wir weiterkommen; unsere Aufgabe ist erfüllt.

KARL Ja, in einer Stunde ist es Nacht ...

HERBERT Was ist mit dir?

KARL Unsere Aufgabe ist erfüllt ...

HERBERT Du schaust in die Welt, als hättest du dich selber erschossen!

KARL Wir müssen schauen, daß wir weiterkommen ...

HERBERT Sobald der Pope einmal fertig ist, sobald er den Graben gedeckt hat.

KARL Unsere Aufgabe ist erfüllt ...

HERBERT Das sagst du jetzt zum dritten Mal!

KARL Im Frühling, wenn der Schnee schmilzt, im Frühling habe ich Urlaub ... im Frühling, wenn die Knospen kommen, die Sonne, dann kommt auch dieser Graben zum Vorschein. Wir können dem Popen befehlen: Schaufle ein Grab, so und so lang, aber schnell! Wir können befehlen: Nun schaufle das Grab wieder zu, aber schnell! Alles können wir befehlen in dieser Welt, alles, nur das Gras nicht, das Gras nicht, das darüber wachsen soll, aber schnell. Man wird den Graben sehen, so und so lang ... im Frühling, wenn der Schnee schmilzt, im Frühling, wenn ich bei Muttern auf Urlaub bin und Kuchen esse.

HERBERT Rauche eine Zigarette!

Herbert gibt ihm eine Zigarette.

KARL Streuselkuchen ... Danke ... Mehl und Zucker haben sie gespart, ein ganzes Jahr hindurch, für diesen Streuselkuchen!

Herbert gibt ihm Feuer.

Einmal, als Bub, ging mir der Streuselkuchen über alles . . .

HERBERT Rauche deine Zigarette und schwatze nicht; du bist müde, Karl.

KARL Im Frühling habe ich Urlaub.

HERBERT Wir dürfen alles, nur nicht müde werden, nur nicht die Nerven verlieren, das gibt es nicht, Karl, bei uns nicht.

KARL In einer Stunde ist es Nacht . . . Maria schreibt, sie höre die Schwalben. In dieser Jahreszeit! Sie sehe die Schmetterlinge! In dieser Jahreszeit! Maria schreibt, die Quellen warten auf unseren Urlaub, sie warten unter dem Schnee . . .

»Frühling läßt sein blaues Band
Wieder flattern durch die Lüfte.«

Kennst du Mörike?

HERBERT Vielleicht besser als du.

KARL Ich liebe ihn.

HERBERT »Süße wohlbekannte Düfte
Streifen ahnungsvoll das Land.
Veilchen träumen schon,
Wollen balde kommen.
Horch, von fern ein leiser Harfenton!
Frühling, ja du bist's,
Dich hab ich vernommen.«

Stille

KARL Herbert, kannst du mir sagen, warum wir diese ein-undzwanzig Leute erschossen haben?

HERBERT Was geht es dich an.

KARL Ich habe sie erschossen –

HERBERT Es sind Geiseln gewesen.

KARL Sie haben gesungen. Hast du gehört, wie sie gesungen haben?

HERBERT Jetzt schweigen sie.

KARL Sie haben gesungen: bis zuletzt.

Herbert blickt hinüber.

HERBERT Ich sehe es kommen, der alte Pope macht uns noch eine Legende daraus! wenn wir ihn schwatzen lassen, wenn wir ihn leben lassen.

KARL Herbert!

HERBERT Was denn?

KARL Soll das heißen, daß auch der Pope –

HERBERT Er schaufelt, als habe er eine Zwiebel gesteckt, so sorgsam schaufelt er, und was für eine kostbare Zwiebel; im Frühling, wenn es gut geht, da kommt eine Tulpe heraus!

KARL Herbert, der Pope hat keine Schuld –

HERBERT Haben wir die Geiseln nach ihrer Schuld gefragt? Er schaufelt sie zu, als glaube er wirklich an ihre Auferstehung; nun liest er die einzelnen Steine heraus!

KARL Herbert, der Pope hat keine Schuld –

Herbert wendet sich wieder zurück.

HERBERT Hast du das schöne Fresko bemerkt? Drüben in der mittleren Apsis?

KARL Was für ein Fresko . . .

HERBERT Eine Kreuzigung und eine Auferstehung, was sonst. Eine bemerkenswerte Sache, byzantinisch, zwölftes Jahrhundert vielleicht, vorzüglich erhalten . . . Ich muß an deinen Vater denken, Karl.

KARL Warum?

HERBERT Unser Oberlehrer, wenn er das sehen könnte, er würde sich alle zehn Finger lecken. Und einen Vortrag würde er halten: Alle diese Gestalten, würde er sagen, hier stehen sie nicht vor den Zufällen einer Landschaft, die sie geboren hat und die sie bedingt; vor einem Goldgrund stehen sie, das aber heißt, sie stehen vor dem unbedingten Raume des Geistes – und so weiter . . .

KARL Warum sagst du das jetzt, gerade jetzt?

HERBERT Ich muß an unseren Oberlehrer denken, oft, nichts kann ich sehen, ohne zu wissen, was seine Bildung dazu sagen würde. Nichts Schönes, meine ich. Er hat ja immer nur über das Schöne gesprochen . . . Weißt du übrigens, wie es ihm heute geht?

Der Pope ist erschienen.

HERBERT Nun, Väterchen?

DER POPE Sie sind begraben.

HERBERT Und du?

DER POPE Ich habe sie begraben, wie du befohlen hast.

HERBERT Ein gehorsamer Mann!

DER POPE Gott gebe ihnen die Ruhe.

HERBERT Und du?

DER POPE Ich verstehe es nicht.

HERBERT Was?

DER POPE Warum Gott euch geschickt hat.

HERBERT Du glaubst also daran, daß Gott uns geschickt hat?

Herbert tritt vor ihn.

Schwöre, daß du nicht schwatzen wirst, wenn wir weggegangen sind; schwöre es.

DER POPE Ich schwöre es.

HERBERT Schwöre, daß du nichts mit eigenen Augen gesehen hast.

DER POPE Du hast mir die Augen verbunden.

HERBERT Schwöre es!

DER POPE Ich habe nichts gesehen, ich schwöre es.

HERBERT Und auch gehört hast du nichts?

DER POPE Sie haben gesungen.

HERBERT Schwöre, daß du nichts gehört hast, oder wir erschießen dich auch.

DER POPE Mich?

HERBERT Ich zähle bis zehn. Verstanden?

DER POPE Mich?

HERBERT Eins, zwei, drei, vier, fünf, sechs, sieben –

DER POPE Ich schwöre es.

Der Pope kann gehen.

HERBERT Pfui Teufel! Pfui Teufel, sage ich, über all diese Halunken in Gott!

KARL Wären wir ihm nicht begegnet, Herbert, er wäre kein
Halunke geworden; du hast ihn dazu gemacht –

HERBERT Angst, Angst, alle haben Angst vor uns!

KARL Das ist die Macht, die wir haben.

HERBERT Und der Geist, der höher als unsere Macht sein soll,
wo ist er denn? Was suchen wir denn anderes als ihn? Wo
ist er denn, dieser Gott, den sie an alle Wände malen, Jahrhunderte lang, den sie im Munde führen? Ich höre ihn
nicht.

KARL Vor einer Stunde haben sie gesungen –

HERBERT Angst, Angst! Alle haben Angst vor unsrer Macht;
sie schwören uns Eide, die Meineide sind, sie sind erstaunt,
daß dieser Gott uns nicht bezwingt! Wir griffen zur Macht,
zur letzten Gewalt, damit der Geist uns begegne. Laß mich
erfahren, ob es wahr ist, was sie reden: ich schieße auf sie
– laß mich eine einzige Auferstehung sehen! Ich habe
Hunderte erschossen, und ich habe keine gesehen.

KARL Wir sind nur Mörder geworden –

HERBERT Wir griffen zur Macht, zur letzten Gewalt, damit
der Geist uns begegne, der wirkliche; aber der Spötter hat
recht, es gibt keinen wirklichen Geist, und wir haben die
Welt in der Tasche, ob wir sie brauchen oder nicht, ich
sehe keine Grenze unsrer Macht – das ist die Verzweiflung.
Er wendet sich.
Auch der Pope wird erschossen.

KARL Warum?

HERBERT Weil ich es befehle. Ich habe gesagt: Mache ein Grab
für diese einundzwanzig Leute. Er hat es getan. Ich habe
gesagt: Schaufle es wieder zu. Er hat es getan. Ich habe
gesagt: Schwöre bei Gott, daß du nichts gehört hast. Er
hat es geschworen. Jetzt sage ich: Der Pope wird erschossen . . .

KARL Das begreife ich nicht . . .

HERBERT Und du, der es nicht begreift, du wirst es tun.

KARL Ich?

HERBERT Ich befehle es dir.

KARL Herbert –

HERBERT In fünf Minuten ist es geschehen.

Karl steht und schweigt.

Wir können seinem Eide nicht glauben. Er schwört bei einem Gott, den es nicht gibt; sonst könnte er keine Meineide schwören und seines Weges gehen. Er wird sich rächen für seinen eigenen Verrat, sobald er nicht mehr vor unseren Läufen steht, verlasse dich drauf! denn er hat Angst vor uns, und immer ist es die Angst, vor allem die Angst, was sie auf Rache sinnen läßt. Ich sage, in fünf Minuten ist er erschossen. –

KARL Und wenn ich sage: ich tue es nicht?

HERBERT Du weißt, was das heißt.

KARL Ich weiß.

HERBERT Du wärest nicht der erste, Karl –

KARL Ich weiß.

HERBERT Ich stelle dich selber an die Wand, wenn es sein muß, und zwar sofort; du kannst es mir glauben, Karl. Wir haben noch immer getan, wie wir gesprochen haben; das kann in dieser Zeit nicht jeder von sich sagen. Man kann sich verlassen auf uns.

KARL Ich kenne dich.

HERBERT Überlege es dir.

KARL Und wenn ich singe dabei?

HERBERT Ich gebe dir fünf Minuten.

KARL Und wenn ich singe dabei?

HERBERT Nachher gibt es keine Worte mehr. Ich gebe dir fünf Minuten.

Herbert entfernt sich.

KARL Nun singen sie wieder . . .

Der Pope erscheint und wartet; man hört den Gesang.

DER POPE Ich solle mich melden bei dir.

KARL Nun singen sie wieder . . .

DER POPE Ich solle mich melden bei dir.

KARL Was willst du?

DER POPE Ich solle mich melden bei dir.

KARL Sage mir eines: —

DER POPE Was denn?

KARL Oder nein . . . Du hast einen Meineid geschworen.
Warum hast du einen Meineid geschworen? Du hast deinen
Herrgott verleugnet, den du am Halse trägst. Zwanzig
Jahre lang, so sagtest du doch, zwanzig Jahre lang hast du
in diesem Kloster gelebt, gebetet, gedient —

DER POPE Das habe ich.

KARL Noch ehe der Hahn kräht! So heißt es doch ungefähr?
Noch ehe der Hahn kräht . . . Warum hast du das getan?

DER POPE Kümmere sich jeder um seine eigene Schuld.

KARL In einer Stunde ist es Nacht . . . sage mir eines: wenn
ich in dieser Richtung gehe, immerzu, Wälder, Heide, im-
merzu, wenn ich durch die Flüsse schwimme, immerzu,
wenn ich durch die Sümpfe wate, immerzu, solange die
Nacht ist, immerzu, immerzu, wo komme ich hin?
Der Pope schweigt.
Rede! Wo komme ich hin? Rede! Es rettet dir das Leben.
Der Pope schweigt.
Ich gehe. Verrate mich! Ich gehe zur Mutter. Sage es ihnen:
ich gehe zur Mutter!
Karl entfernt sich.

DER POPE Mein Ort ist hier. Ich verrate dich nicht. Deine
Flucht, sie rettet mich nicht, sowenig wie dich. Jeder Weg,
den du auf Erden noch gehst, — er führt dich hierher.

Zweites Bild

Maria mit dem Kind.

MARIA Maikäfer, flieg!
Der Vater ist im Krieg,
Die Mutter ist im Pommerland,

Pommerland ist abgebrannt,
Maikäfer, flieg . . .
Im Frühling, wenn der Schnee schmilzt, im Frühling kommt
Karl. Das ist dein Vater. Du hast ihn nie gesehen. Drum
sag ich es dir, mein Kind. Ein guter Vater, ein lieber Vater,
er wird dich auf die Knie nehmen, reite, reite, reite! Und
Augen hat er wie du, mein Kind, so lauter und blau wie
ein See. Und lachen kann er, dein Vater; er wird dich auf
die Schultern heben, du kleiner Wicht, da kannst du dich
an seinem Schopfe halten, reite, reite, reite! . . .
Maikäfer, flieg!
Der Vater ist im Krieg,
Die Mutter ist im Pommerland,
Pommerland ist abgebrannt –
O Gott, was immer geschieht, einmal wird es Frühling
werden. Die Erde ist Jahrtausende alt; noch keinmal ist er
ausgeblieben, was immer die Menschen auch taten: – es
tropft von den Bäumen, das ist der Schnee, der schmilzt,
denn die Sonne scheint auf die Erde. Sie scheint nicht überall hin; hinter den Wäldern ist lange noch Schatten, da ist
es kühl und naß, wenn man vorbeikommt, der Boden
schmatzt, da fault noch das Laub der verlorenen Herbste
. . . Aber der Himmel, oh, zwischen den Stämmen ist überall Himmel, ein Meer von Bläue, wir stehen im Wind, wir
tragen die Sonne wie schmelzendes Silber im Haar, es
klaffen die finsteren Äcker nach Licht, und draußen verzetteln sie Mist, es dampfen die Rosse, es gurgeln die Quellen . . . Im Frühling, wenn der Schnee schmilzt, im Frühling
kommt Karl! Es kommen die Abende bei offenem Fenster:
man hört ihre Helle voll zwitschernder Vögel, es ist, als
spüre man die Luft, die wehe Erregung der Knospen, die
Weite der Felder . . . O Kind, wie ist es schön auf der Erde,
wie ist es schön auf der Erde!
Der Oberlehrer ist eingetreten.
Ich glaube, er schläft.

OBERLEHRER Ich komme von drüben.

MARIA Und?

OBERLEHRER Man hat sie noch immer nicht gefunden.

MARIA Im Frühling, wenn Karl kommt, was wird er sagen, wenn er seine Mutter nicht mehr sieht?

OBERLEHRER Ja.

MARIA Im Frühling, wenn Karl kommt.

OBERLEHRER Ich habe noch einmal gesprochen mit ihnen . . .

MARIA Gesprochen mit wem?

OBERLEHRER Es sind Fremde, Kriegsgefangene, eigentlich sollte man nicht reden mit ihnen . . .

MARIA Was haben sie denn gesagt?

OBERLEHRER Einer davon, so ein Gefangener, er ist selber einmal verschüttet gewesen, zwanzig Stunden lang, sagt er, ganz am Anfang des Krieges . . .

MARIA Und?

OBERLEHRER Das ist alles. Jetzt haben sie aufgehört.

MARIA Sie graben nicht weiter?

OBERLEHRER Es sind schon fünfzig Stunden her. Sie graben nicht weiter. Es heißt, man setze sie an anderen Orten ein, wo die Verschütteten vielleicht noch leben –

MARIA Sie graben nicht weiter.

OBERLEHRER Darum bin ich zurückgekommen. Fünfzig Stunden habe ich da unten gestanden. Ich hatte schon lange die Hoffnung verloren, daß Mutter noch lebt. Der Schutt ist gepreßt und gefroren, daß man bohren muß, so hart ist er. Ich hatte schon lange keine Hoffnung mehr, weiß Gott . . . Nun graben sie nicht weiter; nun denke ich plötzlich, in diesem Augenblick – ob unsere Mutter nicht immer noch lebt?

MARIA Mutterlein!

Maria schluchzt.

Warum das alles? Sage mir das. Was hat ihnen denn unser Mutterlein zuleide getan? Ein Mensch wie Mutterlein! . . . sage mir das.

OBERLEHRER Ja.

MARIA Warum das alles?

OBERLEHRER Satane sind es.

MARIA Was in aller Welt, was wollen sie denn von uns!

OBERLEHRER Satane sind es . . . sie ertragen es nicht, daß wir ihnen überlegen sind. Das ist alles. Sie ertragen es nicht, daß wir die Welt verbessern wollen, daß wir die Welt verbessern könnten. Satane sind es.

Maria horcht.

MARIA Es hat geklopft?

OBERLEHRER Wer kann das sein –?

MARIA Ich weiß es nicht.

OBERLEHRER Ich bin nicht zu Hause –

MARIA Und wenn es Karl ist?

OBERLEHRER Das meinst du jedesmal, wenn es klopft, seit einem Jahr –

MARIA Ich werde schauen, wer es ist.

Maria geht zur Türe.

OBERLEHRER Satane sind es. Satane. Ich wollte sie sehen, nur ein einziges Mal, von Angesicht zu Angesicht!

Maria und Liesel, die einen Blumentopf bringt.

MARIA Es ist nur die Liesel.

LIESEL Herr Oberlehrer –

MARIA Sie will dir einen Blumentopf bringen.

LIESEL Wegen Ihrer Frau.

OBERLEHRER Wer weiß es denn, Liesel, ob sie in diesem Augenblick nicht immer noch lebt?

LIESEL Blumen sind es gerade nicht, Herr Oberlehrer. In dieser Jahreszeit! Es ist eine Zwiebel darin; im Frühling, wenn es gut geht, da kommt eine Tulpe heraus.

MARIA Wir danken dir.

Sie stellt den kahlen Topf auf den Tisch.

LIESEL Kommen diese Zeiten wohl wieder, Herr Oberlehrer?

OBERLEHRER Welche Zeiten?

LIESEL Sie haben uns durch die alte Stadt geführt, durch die

Schlösser und Galerien, Sie haben uns die Bilder erklärt, daß man es nicht mehr vergißt, was Sie nur alles über so ein berühmtes altes Gemälde haben sagen können! Sie haben uns die Augen geschenkt für das Schöne, wissen Sie, für das Edle und so.

OBERLEHRER Wie geht es Herbert?

LIESEL Mein Bruder ist an der Front. Zur Zeit sind sie in einem Kloster, schreibt er, da gebe es mittelalterliche Fresken: unser Oberlehrer würde staunen, schreibt er.

OBERLEHRER Herbert ist mein bester Schüler gewesen.

LIESEL Das sagen Sie immer.

OBERLEHRER Herbert ist mein bester Schüler gewesen, zeit meines Lebens, und Cello hat er spielen können, wir haben eine Zeitlang viel zusammen gespielt, dein Bruder und ich, jede Woche —

LIESEL Ich weiß.

Sie wendet sich plötzlich an Maria.

Weißt du, daß Karl in der Stadt ist?

MARIA Karl?

LIESEL Ich glaube ganz sicher, daß er es war, ganz sicher —

MARIA Karl?

OBERLEHRER Mein Sohn?

MARIA Wo? Wann? Das ist ja nicht möglich.

LIESEL Gestern nacht, ich ging um die Ecke, gerade da drüben, wo die Mutter verschüttet ist, da rennen wir plötzlich zusammen. Denn es war dunkel. Verzeihung! sagte er —

MARIA Unser Karl?

LIESEL Es war seine Stimme, ganz gewiß, sonst hätte ich ihn überhaupt nicht erkannt. Karl? sagte ich — da war er schon weg.

OBERLEHRER Mache dir keine Hoffnung, Maria. Das ist eine Täuschung; Karl ist an der Front, viele Meilen von hier —

LIESEL Ist er denn nicht bei euch gewesen?

MARIA Im Frühling kommt er auf Urlaub, hat er geschrieben, im Frühling . . .

OBERLEHRER Reden wir nicht mehr davon!

LIESEL Freut es Sie nicht, daß Karl in der Stadt ist?

MARIA O Karl!

OBERLEHRER Siehst du, nun weint sie.

MARIA Wir haben ein Kind, und er hat es noch niemals gesehen. Im Herbst habe er Urlaub, hat es immer geheißen, und dann, im Herbst, da kam die neue Offensive.

LIESEL Vielleicht habe ich mich wirklich getäuscht.

OBERLEHRER Wir haben schon soviel gehofft; wir hoffen immer blinder. Es wäre besser, Liesel, du hättest geschwiegen.

LIESEL Ich war drum selber erschrocken; erst später fiel mir ein: Er hat mich im Dunkeln nicht gekannt – erst später lief ich ihm nach. Karl? rief ich . . .

MARIA Du hast ihn nochmals getroffen?

LIESEL Ich meinte es, ja; aber als ich ihn endlich einholte, da war es ein andrer –

OBERLEHRER Siehst du!

LIESEL Ich dachte selber: du hast dich getäuscht. Ich glaubte es nun selber. Ich ging zurück, und drüben an der Ecke traf ich ihn wieder, den Gleichen, der mich vorher fast überrannt hat. Karl? sagte ich: Kennst du mich nicht?

MARIA Und?

LIESEL Ich hielt ihn am Ärmel, verstehst du; aber er blieb nicht stehen. Karl! sagte ich: Karl! und ließ ihn nicht los: Ich kenne dich doch, Karl, was ist denn mit dir?

MARIA Er ist es gewesen?

LIESEL Ich habe ihn gesehen, so nahe wie dich, gestern nacht –

OBERLEHRER Das ist nicht möglich.

MARIA Gestern nacht?

OBERLEHRER Das ist nicht möglich; sonst wäre er zu uns gekommen, unser Karl, er streicht doch nicht wie ein Gespenst herum.

LIESEL Karl? sagte er endlich und blieb stehen: Ich heiße nicht Karl, Sie haben Pech, mein liebes Kind, versuchen

Sie es mit einem andern Mann! und schlug mir eines auf
die Finger, so daß ich ihn sofort loslassen mußte . . .
Man hört ferne Sirenen.
MARIA Nun kommen sie wieder!
OBERLEHRER Gehen wir in den Keller.
MARIA Nun kommen sie wieder, und der Kleine ist eben
eingeschlafen –
OBERLEHRER Satane sind es! Satane sind es!
LIESEL Vielleicht habe ich mich wirklich getäuscht . . .
Sie löschen das Stubenlicht.
OBERLEHRER Satane sind es, ich wollte sie nur einmal sehen:
von Angesicht zu Angesicht –

Drittes Bild

*Sieben junge Flieger warten auf ihren Einsatz; aus einem
Lautsprecher hört man muntere Tanzmusik; sie sitzen in
modernen Stahlrohrsesseln, lesen, rauchen, spielen Schach
oder schreiben Briefe.*
LEUTNANT Schach!
DER ANDERE Ich glaube nicht mehr daran, daß wir heute
nacht an die Reihe kommen. Nun ist es zwanzig Uhr vor-
bei.
LEUTNANT Schach! habe ich gesagt.
DER ANDERE Das war vorauszusehen, mein Lieber. Das kostet
einen Springer. Und dich die Dame.
LEUTNANT Wieso?
DER ANDERE Du bist am Zug.
Er steckt sich eine Zigarette an.
Ich glaube wirklich nicht, daß wir heute nacht noch an die
Reihe kommen . . . übrigens: draußen regnet es in Strömen.
Er raucht.
Hast du Köln gekannt, als es noch stand?
LEUTNANT Nein.

DER ANDERE Ich auch nicht.

LEUTNANT Mein Urgroßvater hat Europa verlassen, weil er es müde war. Mir geht es nicht anders, obschon ich seinen Boden noch nie betreten habe . . . Schach!

Aus dem Rundfunk hört man plötzlich, an Stelle der Tanzmusik, einen Choral aus der Matthäuspassion von Johann Sebastian Bach.

DER FUNKER Abstellen! Turn off the radio

EDUARD Warum?

DER FUNKER Abstellen! sage ich. Abstellen!

Die Musik wird gedämpft.

Diese Art von Musik verdaue ich nicht.

EDUARD Ich suche ja nur, was in der Luft ist. Ich finde sie immerhin schön, diese Art von Musik . . .

DER FUNKER Darum geht es nicht.

EDUARD Sondern?

DER FUNKER Laß mich meine Briefe schreiben! Ich möchte nicht aus diesem Leben scheiden, bevor das Luder weiß, was ich von ihr halte . . . Du sagst es ja selber: Ich finde sie immerhin schön. Immerhin. Ich ebenfalls.

EDUARD Also.

DER FUNKER Darum geht es nicht!

EDUARD Sondern? . . . Weil es deutsche Musik ist? Musik ist ihr Bestes.

Der Funker schreibt seinen Brief, schweigend.

Ich stelle nicht ab, bevor du deine Gründe sagst.

DER FUNKER Ich finde das Schöne zum Kotzen.

EDUARD Ein trefflicher Grund!

DER FUNKER Die Welt ist nicht schön. Was solche Musik uns vormacht, das gibt es nicht. Verstehst du das? Es ist eine Illusion.

EDUARD Mag sein . . .

DER FUNKER Die Welt ist nicht schön.

EDUARD Aber die Musik ist schön. Ich meine: es gibt die Schönheit einer Illusion, wie du das nennst. Was hast du gewonnen, wenn wir auch das aus der Welt schaffen? Am Ende ist es das einzige, was unsere Bomben nicht zerschmettern können.

DER FUNKER Das ja – und deine albernen Witze.

EDUARD Es ist kein Witz, Kamerad.

DER FUNKER Sondern?

EDUARD Ich glaube an die Illusion. Auch das, was nirgends vorkommt auf der Welt, auch das, was man mit Händen nicht greifen und mit Händen nicht zerstören kann, auch das, was nur als Wunsch vorkommt, als Sehnsucht, als Ziel über alles Vorhandene hinaus: auch das hat seine Macht über die Völker.

DER FUNKER Glaubst du das? . . .

EDUARD Sein Reich komme! Nichts ist wirklicher als diese Illusion. Sie hat die Dome erbaut, sie hat die Dome zertrümmert, Jahrtausende haben gesungen, gelitten, gemordet für dieses Reich, das niemals kommt – und dennoch macht es die ganze menschliche Geschichte! Nichts auf Erden ist wirklicher als diese Illusion.

Ein Dritter, der auf eine Zigarettenschachtel zeichnete.

THOMAS Das glaube ich auch.

DER FUNKER Was?

THOMAS Jeder Krieg hat ein Ziel. Auch dieser Krieg. Sonst wäre doch alles ein Unsinn, ein Verbrechen, was wir da machen. Es ist das Ziel dieses Krieges, daß der Friede besser wird, vor allem für uns Arbeiter. Vor allem für uns Arbeiter . . .

Kleines Schweigen um ein Mißverständnis.

DER FUNKER Ich habe einen Menschen gekannt, der spielte solche Musik, wunderbar. Es war vor dem Krieg, als wir noch keine Feinde waren, er und ich. Wir hielten uns sogar für Freunde. Er redete über solche Musik, daß unsereiner nur staunen konnte, so klug, so edel, so innerlich, verstehst du, so innerlich! Und doch ist es der gleiche Mensch, der Hunderte von Geiseln erschießt, Frauen und Kinder ver-

brennt – genau der gleiche, so wie er Cello spielt, so innerlich, verstehst du, so innerlich...

Er klebt den Umschlag zu, erhebt sich.

Herbert hat er geheißen.

EDUARD Was willst du damit sagen?

DER FUNKER Du hast deine Mutter, deinen Vater, deine kleine
Schwester nicht verloren. Rede nicht! du hast es nicht mit
Augen gesehen: – Satane sind es... Satane sind es...

Ein Gefreiter ist eingetreten.

HAUPTMANN Was gibt es?

GEFREITER Einsatz –

HAUPTMANN Wann?

GEFREITER Zwanzig Uhr fünfzig.

HAUPTMANN Danke.

*Der Hauptmann erhebt sich und klopft langsam seine
Pfeife aus.*

Ihr habt es gehört?

Pause

DER ANDERE Zwanzig Uhr fünfzig? hat er gesagt...

LEUTNANT Da werden wir noch lange fertig. Du bist am
Zug.

DER ANDERE Das dritte Mal in dieser Woche!

LEUTNANT Spiel jetzt.

DER ANDERE Gestern hatte ich einen scheußlichen Traum...
Unser Kasten hatte Feuer, wir sprangen hinaus, eins, zwei,
drei, vier, fünf, ich habe das schon öfter geträumt: es ist, als
wolle der Fallschirm überhaupt nicht auf die Erde sinken,
und am Ende lande ich jedesmal in meiner Vaterstadt, eine
Stadt wie am Sonntag, verstehst du, ein wenig öde, langweilig, fremd, ungefähr so, als käme man nach Jahrhunder-
ten zurück, die Straßen, die man gekannt hat, die Plätze,
plötzlich ist es eine Wiese, und die Ziegen weiden darauf,
aber das Kaffeehaus steht offen wie eine Ruine, deine
Freunde sitzen darin, sie lesen die Zeitung, und auf den
marmornen Tischlein ist Moos, Moos, keiner weiß, wer du

bist, keine gemeinsame Erinnerung, keine gemeinsame Sprache und so weiter ... ein scheußlicher Traum!

LEUTNANT Spiel jetzt.

Der Hauptmann zieht seine Bluse an.

HAUPTMANN Benjamin?

BENJAMIN Hauptmann.

HAUPTMANN Ich denke, wir nennen dich einfach Benjamin. Du bist der Jüngste von uns, Benjamin ... Aufstehen mußt du deswegen nicht.

BENJAMIN Ich bin nicht jünger als viele andere auch.

HAUPTMANN Du wirst sehen, man gewöhnt sich daran.

BENJAMIN Woran?

HAUPTMANN Es ist ein Alltag wie irgendeiner. Da ist unser Leutnant, der immerfort Schach spielt, wenn er kein Mädchen hat, und immerfort verliert ... Thomas dort hinten, er zeichnet das Haus, das nach dem Kriege jeder Arbeiter bekommen wird. Jeder richtet sich ein ... Heute, das ist dein erster Einsatz?

BENJAMIN Ja.

HAUPTMANN Ich sage das nicht zum Trost, das mit dem Alltag. Man gewöhnt sich an alles. Ich selber bin der Älteste, gewissermaßen ein Greis, denn ich mache es schon das fünfte Jahr. Früher hatte ich das Geschäft meines Vaters, wir handeln mit Wolle, auch das war manchmal sehr langweilig –

BENJAMIN Ich habe keine Angst.

HAUPTMANN Angst?

BENJAMIN Sie lächeln vielleicht ...

HAUPTMANN Auch das wirst du sehen, Benjamin, es gibt so ein paar Dinge, wovon wir niemals reden. Tabu! Ob einer Angst hat oder nicht, wer fragt danach?

BENJAMIN Ich wollte nicht sagen, daß ich Mut habe. Ich habe auch keinen Mut, glaube ich. Aber auch keine Angst. Ich kenne mich selber noch nicht.

HAUPTMANN Wie alt bist du denn?

BENJAMIN Zwanzig. Das heißt, zwanzig und ein halbes.

HAUPTMANN Schreibe deinem Mädchen, ich lasse es grüßen!
   Mit zwanzig Jahren, da hatten wir es noch schöner –
BENJAMIN Ich schreibe an kein Mädchen.
HAUPTMANN Warum nicht?
BENJAMIN Weil ich keines kenne.
HAUPTMANN So siehst du mir aus, Benjamin!
BENJAMIN Nach der Schule, da kam der Krieg –
HAUPTMANN Ich habe dir zugeschaut, wie du schreibst, zwei
   Stunden lang, Benjamin; so schreibt man nur an ein Mäd-
   chen, an ein sehr liebes und sehr gutes Mädchen.
BENJAMIN Ich schreibe an niemand.
HAUPTMANN Soll das heißen – daß du ein Dichter bist?
BENJAMIN Ich möchte es werden, Hauptmann: wenn der
   Krieg uns nicht wegnimmt.
   Der Hauptmann wird gerufen.
HAUPTMANN Ich komme. –
   Der Hauptmann entfernt sich.
LEUTNANT Ich gebe nicht auf.
DER ANDERE Wir werden nicht fertig, ich sage dir, du bist ver-
   loren.
LEUTNANT Wollen wir sehen!
DER ANDERE Es hilft dir alles nichts.
LEUTNANT Wir lassen es stehen, genau so; wir machen es mor-
   gen zu Ende. Ich bin am Zug. *It's my move*
   Sie ziehen ihre Blusen an.
DER FUNKER Und alles andere, was geschehen ist? Auch ich
   habe es nicht glauben wollen, mein Lieber, es ist behag-
   licher, ich weiß! Auch ich habe es nicht glauben wollen:
   Tote, die einen Fleischerhaken im Unterkiefer haben,
   Kinderschuhe mit abgeschlagenen Kinderfüßen darin –
EDUARD Hör auf!
DER FUNKER Auch ich habe es nicht glauben wollen. Und
   dennoch, mein Lieber, dennoch ist es geschehen: Tausende,
   Hunderttausende – wie Ungeziefer vergast, verkalkt, ver-
   nichtet . . .

EDUARD Hör auf! sage ich.

DER FUNKER Die Welt ist nicht schön.

EDUARD Glaubst du, daß wir sie schöner machen in dieser Nacht?

DER FUNKER Was sollen wir tun? Ich frage dich. Sollen wir uns töten lassen?

EDUARD Unsere Bomben machen sie nicht besser – und uns auch nicht.

DER FUNKER Versuche du es mit Musik! Versuche es –

EDUARD Ich versuche zu denken, das ist alles.

DER FUNKER Wir können nicht anders!

EDUARD Mag sein. Das ist der Fluch ...

Schweigen

DER FUNKER Als meine Mutter, mein Vater, meine kleine Schwester noch lebten ... weiß Gott, ich dachte nicht anders als du. Es gibt nur ein einziges Recht auf der Erde, das Recht für alle. Es gibt nur eine einzige Freiheit, die diesen Namen verdient, die Freiheit für alle. Es gibt nur einen einzigen Frieden, den Frieden für alle –

EDUARD Und jetzt?

DER FUNKER Oh, ich fühlte mich so weise dabei!

EDUARD Und jetzt: jetzt hast du alles verloren – zuletzt deine eigene Einsicht?

DER FUNKER Es ist keine Einsicht, Eduard, es ist keine Einsicht, was unserem Erlebnis nicht standhält! Es ist ein Wunsch, eine Träumerei, ein großes Wort –

EDUARD Wir haben es der Welt gegeben, das große Wort: wir sprachen von Recht, und was wir bringen, das ist Gewalt, wir sprachen von Frieden, und was wir stiften, ist abermals Haß ...

DER FUNKER Du hast deine Mutter, deinen Vater, deine kleine Schwester nicht verloren ... Du hast es nicht mit Augen gesehen: meinen Vater haben sie vor der Haustüre erschossen, bevor er fragen konnte, was geschehen sei, meine Mutter, meine kleine Schwester haben sie in die Kirche getrieben, das ganze Dorf, Frauen, Mädchen, Säuglinge, dann haben sie die Kirche verbrannt, Flammenwerfer... Du hast es nicht mit Augen gesehen. Oh, wie ich deinesgleichen beneide.

Eduard schweigt.

Auch ich versuche zu denken, weiß Gott, es vergeht mir kein Tag – Das alles, denke ich, es muß und es wird seine Rache finden.

EDUARD Rache?

DER FUNKER Es ist nicht unsre Rache –

EDUARD Sondern?

DER FUNKER Man kann nicht den Menschen verhöhnen und meinen, es treffe den Menschen nicht, der es tut, es treffe die eigene Mutter nicht, die eigenen Kinder nicht... Es ist nicht unsere Rache... Ihre Lüge, ihr Übermut, ihr Größenwahn: was ginge uns das alles an, wenn wir nicht seine Opfer würden? Es gäbe Schöneres zu tun, ich weiß, Geige spielen, Bücher lesen, Pferde reiten, Kinder haben –

EDUARD Vielleicht käme mehr dabei heraus.

DER FUNKER Es gibt keinen Frieden mit dem Satan, wenn man auf dem gleichen Gestirn wohnt. Es gibt nur eines: stärker sein als der Satan!

EDUARD Unterdrücken, meinst du – ganze Völker...

DER FUNKER Ausrotten, meine ich, ausrotten!

EDUARD Ausrotten?

DER FUNKER Es gibt nichts anderes. – *Der Funker ist zum Einsatz fertig, während Eduard noch nestelt.*

EDUARD Ich glaube nicht an die Gewalt, nie, auch wenn sie eines Tages in unseren Händen ist. Es gibt keine Gewalt, die imstande ist, den Satan auszurotten –

DER FUNKER Wieso nicht?

EDUARD Immer da, wo die Gewalt ist, bleibt auch der Satan. –

DER FUNKER Rede nicht! Träume nicht! Du hast es nicht mit Augen gesehen – Satane sind es!...

Der Hauptmann kommt zurück, eine Karte in der Hand.

HAUPTMANN Kameraden!

Sie treten an.

Unser Auftrag ist nicht leicht. Unser Auftrag ist der folgende: –

Benjamin bleibt abseits.

BENJAMIN Es ist sonderbar, was ich mir denken kann: Vielleicht stürzen wir in den Tod, ganz plötzlich, und wir merken es lange nicht, daß das der Tod gewesen ist. Wir wissen lange nicht, wo wir uns befinden. Das Mädchen, das in derselben Stunde stirbt, wir werden es kennenlernen. Vielleicht haben wir es getötet. Es wird das Leben sein, das wir zusammen hätten führen können; es wird die Reue sein, wo wir uns alle finden . . . Das wird es sein.

HAUPTMANN Benjamin?

Benjamin tritt in die Reihe.

Unser Auftrag ist der folgende: –

Viertes Bild

Karl und sein Vater, der Oberlehrer.

KARL Mutter ist tot –

OBERLEHRER Du kannst es noch immer nicht glauben, Karl.

KARL Mutter ist tot –

OBERLEHRER So ist das nun alles, ja. Sie hat sich auf deinen Urlaub gefreut. Im Frühling kommt Karl, sagte sie immer, im Frühling –

KARL Reden wir nicht davon.

OBERLEHRER Sie wurde verschüttet; man hat sie noch immer nicht gefunden.

KARL Was weiter?

OBERLEHRER Du sagst: Was weiter? . . .

KARL Im Frühling, wenn der Schnee schmilzt, im Frühling

habe ich Urlaub. Es sind noch viele Mütter tot, im Frühling, wenn der Schnee schmilzt . . .

OBERLEHRER Du bist verstört. Was ist mit dir?

KARL Und wo ist Maria?

OBERLEHRER Maria lebt.

KARL Sage die Wahrheit!

OBERLEHRER Maria lebt, Maria ist droben in der Wohnung.

KARL Maria lebt . . .

OBERLEHRER Auch eurem Kleinen geht es gut.

KARL Maria ist droben in der Wohnung . . .

OBERLEHRER Wir haben dir alles geschrieben, Karl; ihr Haus
wurde getroffen, zum Glück war Maria nicht daheim. Nun
lebt sie bei uns, mitsamt eurem Kind.

KARL So ist das alles.

OBERLEHRER Ja.

KARL Mutter ist tot, und ich habe sie nicht mehr gesehen, und
Maria, da droben in der Wohnung, sie wartet auf meinen
Urlaub, wenn der Schnee schmilzt, und auch Maria werde
ich nicht mehr sehen . . .

OBERLEHRER Karl! Was redest du? Karl?

KARL So ist das nun.

OBERLEHRER Herrgott im Himmel –

KARL Laß ihn.

OBERLEHRER Herrgott im Himmel, was ist denn geschehen?
Karl? Ich komme in den Keller und treffe meinen Sohn,
der sich im Keller versteckt hat. Wie kommst du hierher?
Ich frage dich zum drittenmal: Wie kommst du hierher?

KARL Zu Fuß.

OBERLEHRER Warum steckst du da unten, Karl, wenn du
Urlaub hast und Maria wartet auf dich, wir alle –

KARL Ich habe keinen Urlaub.

OBERLEHRER Wieso bist du denn hier?

KARL Verstehst du?
Der Oberlehrer starrt ihn an.
Ich bin gegangen.

OBERLEHRER Karl?

KARL Ich bin gegangen ... zu Fuß ...

OBERLEHRER Weißt du, was das bedeutet?

KARL Besser als du ...

Kurzes Schweigen; Karl steckt sich eine Zigarette an.

OBERLEHRER Wenn es jetzt Alarm gibt und die Leute kommen in den Keller, die Leute sehen dich, die Leute kennen dich, – weißt du, was das bedeutet?

KARL Warum sollen wir uns nicht endlich kennenlernen?

OBERLEHRER Weißt du, was du tust?

KARL Ich weiß, was ich getan habe, ich allein, denn ich habe es getan, heute vor einer Woche, ich, Karl, dein einziger Sohn, ich, der ich selber eine Frau hatte, ein Kind hatte, eine Mutter hatte, die zur gleichen Zeit verschüttet wurde. Was weiter? Es sind nicht die ersten gewesen ...

OBERLEHRER Karl, melde dich sofort zurück!

KARL Nie wieder.

OBERLEHRER Bevor die Leute dich sehen, Karl. Du sagst: Ich habe mich verlaufen, ich habe mich verirrt, ich habe –

KARL Rede nicht.

OBERLEHRER Ich beschwöre dich, Karl, ich flehe dich an, dein Vater; hörst du mich nicht? Du hast den Kopf verloren, mein lieber Karl, nimm dich noch einmal zusammen, es ist das Einzige, was dich retten kann, dich und uns, Maria, deinen Vater – melde dich sofort zurück!

Karl blickt ihn wortlos an.

Hörst du mich nicht?

KARL Hast du schon einmal auf Frauen und Kinder geschossen?

OBERLEHRER Melde dich sofort zurück.

KARL Nichts leichter als das; sie knicken, fast langsam, sie fallen zur Seite, meistens, andere fallen nach vorne. Was weiter? Hast du schon einmal auf Frauen und Kinder geschossen, und sie haben, da du es tust, gesungen dazu? sie haben gesungen dazu?

Er beginnt zu singen, das Lied der Geiseln, das den Keller
mit einem hohlen, einem dröhnenden Echo erfüllt.

OBERLEHRER Wenn jemand dich hört! Wenn jemand kommt
und dich sieht, wir sind verloren.

KARL Ich weiß.

OBERLEHRER Bist du gekommen, um uns alle auszuliefern?

KARL Wir sind verloren, Vater, auch wenn uns niemand sieht.
Verlaß dich drauf. *Take my word for it*

OBERLEHRER Karl, höre mich an –

KARL Es ist das Einzige, worauf wir uns verlassen können.

OBERLEHRER Ich verstehe dich –

KARL Das ist nicht möglich; du hast es nicht getan.

OBERLEHRER Karl, du hast es auf Befehl getan! Ich sage dir:
wir haben keine Schuld daran –

KARL Glaubst du das noch immer?

OBERLEHRER Karl! Karl!

KARL Werde nicht feierlich.

OBERLEHRER Zwei Minuten, Karl, nimm deinen Kopf zusammen und höre mir zu, zwei Minuten, und dann erst ent-
scheide, was du tun willst – *Er setzt sich zu seinem Sohn.*

KARL Ich kenne es genau, was du mir sagen willst.

OBERLEHRER Auch mir, Karl, auch mir hat man schon Dinge
befohlen, die ich aus freien Stücken nie getan, die ich nie
auf meine eigene Verantwortung genommen hätte; mit
kleinen und nebensächlichen Dingen fing es an, du weißt es,
und warum habe ich es getan?

KARL Wo es am Mute fehlt, da fehlt es nie an Gründen.

OBERLEHRER Euch zuliebe habe ich es getan, Mutter zuliebe,
dir zuliebe! Ich hatte damals die Wahl, ich konnte Oberlehrer oder brotlos werden, brotlos, arbeitslos, mittellos.
Du lachst!

KARL Ich lache nicht –

OBERLEHRER Damals war es ein Schrecken, der größte, damals, und dann war auch viel Gutes an der Sache, und ich
sagte ja, euch zuliebe, Mutter zuliebe.

KARL Mutter ist verschüttet –

OBERLEHRER Dir zuliebe, Karl! Ich wollte nicht, daß du es büßen müßtest, ich wollte nicht, daß dir die ganze Jugend verhunzt sei –

KARL Sie ist verhunzt.

OBERLEHRER Ich sagte ja. Später ging es nicht mehr um Stelle und Brot, es ging darum, ob man auf dieser Erde noch eine Heimat hatte oder nicht, und ich sagte noch einmal ja, denn ich wollte dir nicht die Heimat rauben. Begreifst du mich?

KARL Weiter.

OBERLEHRER Ich habe, so wie die Dinge liegen, jedesmal nur das Beste gewollt, Karl –

KARL Sagen wir: das Günstigste.

OBERLEHRER Ich dachte an euch. Du weißt nun, was das heißt, eine Frau haben, ein Kind haben –

KARL Weiter.

OBERLEHRER Später ging es nicht mehr um Heimat oder Fremde, verstehst du, nach und nach ging es um den Kopf, und ich sagte ja. Karl! auch das ist ein Gewissen: man tötet nicht seine Frau der eignen persönlichen Gesinnung zuliebe, seine Frau, seinen Sohn –

KARL Lieber die andern!

Er steht wieder auf.

Hast du schon einmal auf Frauen und Kinder geschossen?

OBERLEHRER Ich sage dir: du hast es auf Befehl getan!

KARL Und wer hat es befohlen?

OBERLEHRER Es ist nicht deine Schuld, Karl, was alles auch befohlen wird, es ist nicht unsere Schuld –

KARL Das ist es ja!

OBERLEHRER Du lachst? . . .

KARL Jedes Wort, das du sagst, es klagt uns an. – Es gibt das nicht, es gibt keine Ausflucht in den Gehorsam, auch wenn man den Gehorsam zu seiner letzten Tugend macht, er befreit uns nicht von der Verantwortung. Das ist es ja! Nichts befreit uns von der Verantwortung, nichts, sie ist uns gegeben, jedem von uns, jedem die seine; man kann nicht seine Verantwortung einem andern geben, damit er sie verwalte. Man kann die Last der persönlichen Freiheit nicht abtreten – und eben das haben wir versucht, und eben das ist unsere Schuld.

Stille

Es gibt kein Zurück, Vater, verlaß dich drauf.

Man hört ferne Sirenen.

OBERLEHRER Das ist Alarm.

KARL Schon wieder.

OBERLEHRER Jetzt kommen die Leute hierher ... Karl ... Habe ich alles auf mich genommen, damit es am Ende umsonst war?

KARL Ich sehe keinen Ausweg, Vater, für keinen von uns; das ist die Schuld.

OBERLEHRER Melde dich zurück ... Jeden Augenblick kommen die Leute in den Keller ... auch Maria soll dich nicht sehen, Maria, die dich nicht lassen wird, bis wir verloren sind.

KARL Maria!

OBERLEHRER Karl, ich bitte dich um unser Leben.

KARL Nun kommt sie die Treppe herab, Maria, unser Kind, das ich noch nie gesehen habe ... nun kommen sie die Treppe herab ... *Er faßt den Vater:* Du, trag ihnen Sorge! *Karl verschwindet, bevor die Leute kommen.*

LIESEL Da ist er ja schon ... Maria, der Oberlehrer ist ja schon unten! So komme doch.

EINE FRAU Das ist das dritte Mal, heute schon das dritte Mal.

HAUSWART Schweigen Sie doch endlich!

DIE FRAU Ich sage ja bloß: das ist das dritte Mal ...

HAUSWART Das wissen wir auch.

DIE FRAU Herrgott nochmal, jede Nacht hockt man im Keller, jeden zweiten Tag, nicht einmal reden darf man – was meinen Sie denn eigentlich, Sie, wer sind Sie denn eigentlich?

HAUSWART Ich bin Luftschutz.

DIE FRAU Ich bin ein Mensch –

JEMAND Das sind wir alle, gute Frau.

DIE FRAU Wollen Sie mir das Schnaufen verbieten, wollen Sie
mir alles verbieten? Wozu führen wir denn eigentlich Krieg,
das möchte ich wissen –

JEMAND Lesen Sie die Zeitung!

DIE FRAU Wozu?

JEMAND Lesen Sie die Zeitung ...

DIE FRAU Wenn man nicht schnaufen darf, nicht reden darf,
nichts, kein Licht, nichts, warum lassen wir uns nicht töten?
Nicht einmal das darf man ...

HAUSWART Jede Panik muß vermieden werden. Das ist meine
Pflicht, dafür bin ich geschult, dafür bin ich verant-
wortlich –

DIE FRAU Und ich sage Ihnen trotzdem: sie kommt!

HAUSWART Was?

DIE FRAU Die dritte Welle!

Man hört ein fernes Bombardement.

HAUSWART Herrgott, haben wir ein Glück, Herrgott, es ist
wieder nicht unser Quartier ...

OBERLEHRER Weine nicht, Maria.

LIESEL Immer hat sie Angst, das Kindlein sei tot; es schläft
aber nur.

OBERLEHRER Weine wirklich nicht. Es ist vorüber; für dies-
mal ist es vorüber.

LIESEL Es ist wunderbar, wie es schläft; es hört von all dem
nichts. Sehen Sie, wie es die winzigen Fingerlein bewegt?
Du kleiner Wicht! Sehen Sie nicht, wie es atmet?

MARIA Jaja.

LIESEL So ein liebes Wurm! ... Es atmet wirklich.

DIE FRAU Wie alt ist es denn?

MARIA Ein Jahr, bald ein Jahr ...

DIE FRAU Es wird nichts mehr von diesem Kriege wissen,
wenn es groß ist. Denken Sie das! Es wird sehen, wo unsere

Stadt gestanden hat, das schon; aber es wird sich nicht selber erinnern – das ist viel, denken Sie! das ist viel. Überall dort, wo sich niemand mehr selber an diesen Krieg erinnern kann, dort fängt das Leben wieder an!

JEMAND Oder der nächste Krieg.

DIE FRAU Wieso?

JEMAND Weil sich niemand mehr selber daran erinnern kann.

Die Frau horcht auf.

DIE FRAU Hören Sie? Das ist die Ambulanz –

HAUSWART Hol Sie der Teufel!

DIE FRAU Darf man das auch nicht sagen?

HAUSWART Wenn Sie nicht sofort Ihr dummes Maul halten –

DIE FRAU Was denn?

HAUSWART Ich muß Sie verhaften lassen, verstehen Sie, ich muß. Wenn ich es unterlasse, so kann mich jeder andere anzeigen. Sie dürfen nicht nur an sich selber denken, Frau! Auch ich habe eine Frau . . .

Immer wieder hört man einen unbestimmten Lärm.

MARIA Wenn es nur Frühling würde, wenn es nur Frühling würde!

OBERLEHRER Frühling wird es sicher.

MARIA Im Frühling kommt Karl, dann muß man nicht in der Stadt bleiben, wir gehen hinaus in den Wald, das kann man sehr gut, auch wenn es regnet, man kann im Walde wohnen . . . Als wir uns kennenlernten, im letzten Urlaub, als wir mit dem Faltboot gingen, da haben wir es auch gemacht, im Walde gewohnt, Tage lang, oh, es war herrlich!

OBERLEHRER Ich glaub's.

MARIA Wenn es nur noch einmal Frühling würde, nur noch ein einziges Mal! . . .

Ein alter Mann ist eingetreten, der offensichtlich niemanden kennt; schließlich wendet er sich an irgendwen, an den Oberlehrer.

DER ALTE Das Münster ist getroffen.

HAUSWART Das spielt keine Rolle.

DER ALTE Wie meinen Sie das?

HAUSWART Man wird alles wieder aufbauen.

DER ALTE Wer?

HAUSWART Schöner als zuvor! Nach dem Kriege.

DER ALTE Jaja, natürlich . . .

DIE FRAU Kommen sie wieder mit Phosphor?

DER ALTE Die Leute rennen über die Straße –

HAUSWART Schweigen Sie doch!

DER ALTE Wenn ich es gesehen habe?

HAUSWART Schwatzen ändert nichts!

DER ALTE Schweigen auch nicht.

DIE FRAU Vielleicht hat er recht, Alter, man sollte nicht reden davon, wir alle, wir sollten nie wieder reden.

Der Alte redet für sich.

DER ALTE Die Leute rennen über die Straße, aber sie kommen nicht durch den Teer, der brennt; in einer Minute sind sie verkohlt . . . sie bleiben wie schwarze Baumstrünke in der Straße . . .

OBERLEHRER Wohin denn, Maria? Wohin denn?

MARIA Ich muß hinaus –

OBERLEHRER Wahnsinn!

MARIA Ich will in den Wald –

OBERLEHRER Jetzt doch nicht!

MARIA Es erstickt hier, glaube mir, es erstickt hier –

OBERLEHRER Jetzt nicht! Maria, hörst du?

MARIA Ich höre, ich höre –

Man hört ein Bombardement in der Nähe.

JEMAND Brandbomben. Das sind Brandbomben, bald vorüber.

Ein Mann vom Luftschutz erscheint unter der Türe.

LUFTSCHUTZ Herr Oberlehrer, Ihr Sohn –

MARIA Karl!

LUFTSCHUTZ Draußen ist Ihr Sohn – er hat sich erhängt . . .

OBERLEHRER Mein Sohn.

LUFTSCHUTZ Die Straße brennt!

DIE FRAU Phosphor?

LUFTSCHUTZ Die Straße brennt!

Der Mann vom Luftschutz eilt wieder weg.

OBERLEHRER Maria! – wo ist sie denn hin?

Er geht Maria nach, die mit dem Kind hinausgelaufen ist.

DIE FRAU Sie ist wahnsinnig. Ich habe es kommen sehen.
Jedesmal hat sie diese Angst, das Kind ersticke.

JEMAND Das ist ihr Mann, der sich erhängt hat?

LIESEL Er ist es doch gewesen. Unser Karl . . .

DER ALTE Sie rennen über die Straße, aber die Straße brennt,
sie kommen nicht durch den Teer, in einer Minute sind sie verkohlt, sie bleiben wie schwarze Baumstrünke in der Straße.
*Der Oberlehrer ist zurückgekommen. Der Lärm verliert
sich.*

OBERLEHRER Die Straße brennt.

DIE FRAU Gott strafe den Feind! Gott strafe den Feind! Gott
strafe den Feind! . . .

JEMAND Auch unsere machen das gleiche.

HAUSWART Wer hat das gesagt?

DIE FRAU Ich nicht.

HAUSWART Wer hat das gesagt? Ein Feigling, der sich nicht
meldet, ein Verräter, der an die Wand käme, wenn er sich
melden würde.

OBERLEHRER Auch unsere machen das gleiche.

HAUSWART Sie?

DIE FRAU Das ist nicht wahr –

HAUSWART Sie kennen wir schon, Herr Oberlehrer, Sie haben
das nicht gesagt.

OBERLEHRER Auch unsere machen das gleiche. Ich sage es jetzt:
Auch unsere machen das gleiche.

Völlige Stille

HAUSWART Ich muß Sie um Ihren Namen bitten, verstehen
Sie, ich muß . . .

Zweiter Teil *Die Tote*

Fünftes Bild

Der Pope steht und schneidet Brot, das er auf den steiner-
nen Tisch legt; man hört den Gesang der Geiseln.

DER POPE Nun singen sie wieder . . . Gott geb ihnen die Ruhe!

Ein Kind ist erschienen; der Pope zählt die Brote.

DAS KIND Väterchen.

DER POPE Was gibt es?

DAS KIND Nun schießt es wieder!

DER POPE Vierzehn, fünfzehn, sechzehn, siebzehn . . . Es kann
uns nichts mehr geschehen, mein Kind. Das ist der Krieg,
der weitergeht. Sag ihnen, es kann uns nichts mehr geschehen.

DAS KIND Wir singen alle.

DER POPE Ich höre es. – Nimm diesen Krug, mein Kind. Das
ist der Wein, das ist das Blut unseres Herrn, und sag ihnen,
das Brot werde ich bringen.

DAS KIND Wie gut du bist, Väterchen.

Das Kind entfernt sich mit dem Krug.

DER POPE Siebzehn, achtzehn, neunzehn, zwanzig, einundzwanzig – so haben sie gestanden, einundzwanzig in der
Reihe, und so, wie jetzt, so haben sie gesungen.

Unterdessen sind auch die Flieger erschienen: der Haupt-
mann, der die weiße Binde einer ersten Hilfe trägt, der
Leutnant, der Gefreite, der Funker.

HAUPTMANN Gott grüß euch.

DER POPE Gott grüß euch ebenso.

HAUPTMANN Ich hoffe, wir stören hier nicht!

DER POPE Wir wollen es hoffen.

Kleine Pause

HAUPTMANN Wer ist es, der da singt?

DER POPE Viele sind es, Herr, viele –

HAUPTMANN Das höre ich. Ein Chor. Ich liebe die Chöre; wir kennen das aus dem Rundfunk. Aber ich meine, was sind es für Leute?

DER POPE Ich habe sie nicht gekannt.

HAUPTMANN Nicht?

DER POPE Immer, wenn sie schießen hören, singen sie wieder. Gott geb ihnen die Ruhe.

Kleine Pause

HAUPTMANN Und du?

DER POPE Ich gebe ihnen das Brot. Manchmal fange ich auch Fische. Dann bringe ich ihnen die Fische –

HAUPTMANN Hast du vielleicht auch Brot für uns?

DER POPE Wenn du Hunger hast.

HAUPTMANN Hunger haben wir alle!

LEUTNANT Hunger und Durst!

DER POPE Wir haben nur Wein . . .

LEUTNANT Roten oder weißen?

DER POPE Es ist das Blut unseres Herrn . . .

LEUTNANT Also roten!

DER POPE Ja.

HAUPTMANN Brot und Wein, das wäre schön! Wir danken dir.

Der Pope entfernt sich.

LEUTNANT Ein wenig komisch, dieser Pope –

GEFREITER Fürs erste sind wir in Deckung, das ist die Hauptsache; fürs erste sind wir in Deckung.

LEUTNANT Und ob das ein Kloster ist! . . . Vielleicht haben wir Glück, Leute, Glück, wie es in Büchern steht: vielleicht ist es ein Nonnenkloster? Hol mich der Teufel, es gibt ganz tolle Nonnen, so ein junges Ding, das die Sünde erst vom Beten kennt, das noch alles lernen kann! Nichts macht mich so verrückt wie ein scheues Weib; Widerstand muß sein.

DER FUNKER Schon denkt er wieder daran.

LEUTNANT Wenn der Krieg einmal zu Ende ist, Kameraden,

unsere Jugend gibt uns keiner zurück. Man muß die Weib-
lein nehmen, die jungen, solange sie uns locken, und so
wahr ich jetzt an diesem sonderbaren Orte steh: mich
locken sie!

Sie haben sich unterdessen gesetzt.

HAUPTMANN Ich dachte schon, das ist der Tod, das ist er.
Wenn das der Tod ist, dachte ich, was haben wir dagegen
. . . übrigens: Ihr habt ein Kreuz verdient, ein Kreuz. Ich
werde es unserem Feldmarschall melden, sobald er hierher
kommt.

DER FUNKER Ein Stück Brot ist mir lieber.

HAUPTMANN Wo ist Benjamin?

LEUTNANT Benjamin ist hier.

HAUPTMANN Ich sehe ihn nicht –

LEUTNANT Ich habe ihn geschickt, er soll den Ort erkunden,
Vorsicht tut not.

HAUPTMANN Sein erster Flug, der brave Junge, sein letzter
Flug . . . Wie ist das alles zugegangen?

DER FUNKER Eins, zwei, drei.

HAUPTMANN Und wo ist Thomas?

LEUTNANT Gerettet. Er ist gesprungen, bevor wir Feuer
hatten.

HAUPTMANN Gerettet. –

LEUTNANT Ich habe ihn gesehen.

DER FUNKER Auch Eduard ist gesprungen, bevor wir Feuer
hatten.

HAUPTMANN Und Alexander?

DER FUNKER Das weiß ich nicht.

HAUPTMANN Das ist ein Schlag für dich, Leutnant, von uns
spielt keiner Schach!

LEUTNANT Daran habe ich auch schon gedacht. Ich war am
Zug.

GEFREITER Ich habe ihn gesehen –

HAUPTMANN Alexander?

GEFREITER Sein Fallschirm brannte.

HAUPTMANN Der arme Kerl ...

LEUTNANT Immer hat er geträumt, der Fallschirm trüge ihn in seine Vaterstadt.

Schweigen

HAUPTMANN Und wo sind wir?

DER FUNKER Das eben ist die Frage.

GEFREITER Fürs erste sind wir in Deckung, das ist die Hauptsache; fürs erste sind wir in Deckung.

HAUPTMANN Brot und Wein, mir scheint, fürs erste können wir zufrieden sein, und wenn wir Geduld haben, werden wir es schon noch erfahren, wo wir uns befinden. Man hält uns nicht für Feinde. Das scheint mir gewiß. Und unsere Sprache versteht man auch.

Benjamin kommt.

HAUPTMANN Nun?

BENJAMIN Hauptmann ...

HAUPTMANN So rede schon!

BENJAMIN Ich habe nur die Leute gesehen, die singen. Es sind Greise, Frauen, Kinder. Sie sitzen an einer langen Tafel, einundzwanzig im ganzen, und singen, ihr Brot in der Hand. Der Anblick ist sehr sonderbar.

HAUPTMANN Greise, Frauen, Kinder?

DER FUNKER Können wir nicht einfach fragen, rundheraus?

GEFREITER Welches Land?

DER FUNKER Ja.

GEFREITER Unsinn.

DER FUNKER Warum?

GEFREITER Man wird Alarm schlagen: Feinde sind da. In einer Stunde sind wir gefangen.

LEUTNANT Da hat er recht.

GEFREITER Gesetzt den Fall, wir sind eine Meile von der Grenze entfernt, eine halbe –

DER FUNKER Nur müssen wir wissen, wo diese Grenze ungefähr liegt! bevor sie uns nützt.

GEFREITER Wir werden es erfahren.

DER FUNKER Aber wie? Unser Funkgerät ist zum Teufel.

GEFREITER Wir werden es erfahren. Man redet so über allerlei, immer ganz harmlos, wir bringen den Popen ins Plaudern – laß mich nur machen!

DER FUNKER Vielleicht sind wir im eigenen Land –

HAUPTMANN Möglich ist alles.

DER FUNKER Wir sind im eigenen Land, aber wir fragen nicht, wir sitzen in Deckung, das ist die Hauptsache, und eines Tages, wenn der Krieg schon lange vorbei ist, da hocken wir noch immer in unsrer Deckung, wie gelernt, wir fragen nie, wir erfahren es nie, daß wir daheim sind –

GEFREITER Daheim, sagst du: in diesen Ruinen –

DER FUNKER Glaubt ihr, Kameraden, daß unsere Heimat viel anders aussehen wird?

BENJAMIN Still! –

LEUTNANT Er bringt uns wirklich Wein und Brot?

Der Pope bringt Wein und Brot, wobei das Kind ihn begleitet; er verteilt das Brot.

DER POPE Das ist alles, was wir noch haben.

HAUPTMANN Wir danken dir!

DER POPE Wir müssen neues backen, sobald ihr es gegessen habt.

Die Flieger stehen und essen das Brot, wortlos, und trinken den Wein, jeder nimmt einen kleinen oder großen Schluck aus dem Krug, dann gibt er ihn weiter.

DAS KIND Väterchen?

DER POPE Sie tun dir nichts.

DAS KIND Wann hört das Schießen wieder auf?

DER POPE Das weiß ich nicht, mein Kind. Es kann uns nichts mehr geschehen. Gar keine Angst mußt du haben; nie wieder kann es dich treffen, mein Kind.

DAS KIND Was sind das für Männer?

DER POPE Ich kenne sie nicht.

DAS KIND Sind das die Feinde gewesen?

DER POPE Ich weiß nicht, mein Kind, sie haben Hunger.

DAS KIND Alle haben Hunger . . .

DER POPE Nimm diesen Krug, er ist leer, und hole den andern!

Das Kind gehorcht.

HAUPTMANN Ist das dein eigenes Kind, Väterchen?

DER POPE Nein.

Das Kind bringt den anderen Krug.

GEFREITER Sag mal, das ist wohl ein Kloster?

DER POPE Gewesen.

GEFREITER Und wo ist denn das nächste Dorf?

DER POPE Das nächste Dorf –

Er gibt den Krug weiter.

Das nächste Dorf, das gibt es nicht mehr.

GEFREITER Eines muß doch das nächste sein!

DER POPE Ich kenne es nicht, ich sehe es nicht. Zwar hast du recht, junger Mann: eines muß das nächste sein, immer, und wenn es noch so ferne ist.

GEFREITER Wie ferne denn?

DER POPE Ich kenne es nicht.

GEFREITER Ungefähr?

DER POPE Das nächste Dorf, das ich gekannt habe, das lag ganz nahe bei unserem Kloster; es ist verbrannt, seine Leute sind tot, und es kann ihnen nichts mehr geschehen. Dann kommen die Wälder, die Felder, wo früher das Korn wuchs, Roggen vor allem, auch Hafer. Dann kommen die Sümpfe, die Heide, wo immer wieder die berühmten Schlachten sind. Vielleicht ist auch das übernächste Dorf, das ich niemals gekannt habe, niedergebrannt –

GEFREITER Vielleicht.

DER POPE Das ist nun einmal so. Verstehen kann ich es nicht; erklären kann ich es nicht.

GEFREITER Willst du uns also sagen, daß du es selber nicht weißt, wie weit es zum nächsten Dorf ist, zum nächsten Menschen, der lebt?

DER POPE Ich weiß es nicht.

GEFREITER Sag mal, – wie hältst du das aus?

DER POPE Mein Ort ist hier.

GEFREITER Hältst du das aus?

DER POPE Man muß es lernen, junger Freund. Es ist nicht schwer, wenn man weiß, daß man es nie mehr erreichen wird, das nächste Dorf.

GEFREITER Nie mehr?

DER POPE Mein Ort ist hier.

Der Hauptmann gibt den leeren Krug zurück an das Kind.

HAUPTMANN Brot sollen wir backen, hast du gesagt?

DER POPE So sagte ich.

HAUPTMANN An uns, Väterchen, soll es nicht fehlen! Zwar habe ich noch nie in meinem Leben ein Brot gebacken, das muß ich gestehen, ich weiß nicht, wie man das macht –

DER POPE Oh, es ist einfach.

HAUPTMANN Hat einer von euch schon sein Brot gebacken?

DER POPE Wir werden es zusammen lernen.

Er wendet sich an den Gefreiten:

Das Kind wird dir zeigen, wo die Axt ist. In allen Trümmern findest du Holz, verkohlte Balken, Stücke von Bildern, deren Farbe versengt ist. Du mußt es nur ordentlich spalten, dann können wir heizen und backen.

GEFREITER Heizen und backen –

DER POPE Alles kann das Kind dir zeigen.

GEFREITER Väterchen!

DER POPE Was noch?

GEFREITER Warum hast du das vorhin gesagt? Daß man es nie mehr erreichen wird, das nächste Dorf . . .

DER POPE Weil es so ist, Freund.

GEFREITER Nichts ist so weit, daß wir es nicht erreichen, nichts, wenn wir immerzu gehen, immerzu gehen! Warum lächelst du?

DER POPE Tue ich das?

GEFREITER Meinst du, du kannst mich in Angst versetzen?

DER POPE Tue ich das?

GEFREITER Nichts ist so weit, daß wir es nicht erreichen, wir, die wir jung sind. Jung! Weißt du denn, wie jung wir sind? Der Krieg, er hat uns die Jahre genommen; schaue nicht unsere Gesichter an! ich sage dir, unser Leben ist jung, wir sind ja noch Knaben, die das Leben nicht kennen. Leben? haben wir nicht alles, was Leben heißt, noch vor uns? . . . Ach, was rede ich! . . . Du machst mir keine Angst. Wir haben dem Tod in die Augen geschaut, mehr als einmal, wir sind durch die Wände von Feuer geflogen: neben uns, mitten aus dem Geschwader, sackten sie ab, und sie fielen wie eine Fackel auseinander. Wir kennen das Feuer am eigenen Flügel, wir kennen die Salve im Rücken: man hört sie kaum, aber der Freund, der neben dir sitzt, er gibt keine Antwort mehr, und es tropft ihm das Blut aus den Haaren. Wir kennen das Sinken, das schiefe, das rasende Sinken über dem nächtlichen Meer – wir haben dem Tod in die Augen geschaut, mehr als einmal!

DER POPE Warum erzählst du mir das?

GEFREITER Ich frage: Wo ist das nächste Dorf? Du machst mir keine Angst.

DER POPE Ich weiß es nicht.

GEFREITER Wo ist das nächste Dorf! . . .

Er hat seinen Revolver gezogen.

Wo ist das nächste Dorf! . . .

HAUPTMANN Er ist verrückt.

GEFREITER Wo ist das nächste Dorf . . . Wo ist das nächste Dorf . . .

Die Kameraden bezwingen den Tobenden.

DER POPE Es kann mir nichts mehr geschehen.

Nach einer Weile des Schweigens: das Kind nähert sich dem Gefreiten, bietet ihm die Hand, und der Gefreite folgt ihm.

Auch frisches Wasser müssen wir haben –

LEUTNANT Das hole ich.

DER POPE Schön von dir. Ich will dir zeigen, wo unsere Quelle war –

LEUTNANT Ich werde es schon finden!

DER POPE Das glaube ich nicht.

LEUTNANT Hast du Angst, daß ich die Nonnen finde?

DER POPE Es ist unsere einzige Quelle, und es kann sein, daß sie schon wieder verschüttet ist.

DER FUNKER Ich werde helfen.

HAUPTMANN Der Krieg macht vieles zunichte . . .

Der Pope entfernt sich mit dem Leutnant und mit dem Funker.

Und du, Benjamin? Du redest kein Wort.

BENJAMIN Ich höre zu.

HAUPTMANN Wo meinst denn du, daß wir sind? . . . Du schweigst, du antwortest nicht.

BENJAMIN Ich hatte nur Vater und Mutter. Sie werden weinen, jetzt, sie werden sagen: wir sind tot.

HAUPTMANN Tot . . . ?

BENJAMIN Für euch ist alles das schwerer. Sie haben eine Frau, Hauptmann, ein eigenes Kind, oder zwei, und alle die andern auch, sie hatten eine Freundin, und wenn es auch eine Freundin ist, die man ein Luder nennt, weil sie uns verlassen hat -

HAUPTMANN Da hast du recht: man hält uns für tot, kein Zweifel, man hält uns für tot –

Benjamin horcht, man hört den Gesang.

BENJAMIN Nun singen sie wieder. Frauen, Greise, Kinder, sie sitzen an einer langen Tafel, einundzwanzig im ganzen, und singen, ihr Brot in der Hand. Und mit geschlossenem Mund. Der Anblick ist sehr sonderbar.

Der Hauptmann erwacht zu einem plötzlichen Entschluß.

HAUPTMANN Benjamin!

BENJAMIN Zu Befehl.

HAUPTMANN Gehe hinaus: schaue dich um! Du gehst, bis du einen Menschen findest, einen Bauern, ein Kind, ein Mädchen, was weiß ich. Schaue ihn an, jeglichen Menschen, rede mit ihm. Wir warten hier, bis du wiederkommst. Wir warten auf jeden Fall.

BENJAMIN Zu Befehl.

HAUPTMANN Wir müssen wissen, wo wir uns befinden.

BENJAMIN Zu Befehl!

HAUPTMANN Noch eins! . . . Wenn du einem Menschen begegnest, einem lebenden Menschen, wer immer es sei: gib ihm diesen Ring.

Benjamin geht, und der Hauptmann ist allein.

Jenny, Jenny . . . nun geht sie mit den Kindern über die Straße, Jenny in Schwarz: sicher steht es ihr gut, und die Kinder fragen sehr viel . . . Warum, warum, warum . . . Jenny wird weinen: am letzten Abend, als wir uns sahen, ich war so verstimmt. Ich weiß nicht warum. Ich war so verstimmt.

Der Pope kommt zurück.

DER POPE Das ist die Mühle. Wir haben keine andere. Sie ist alt, und das Mahlen geht langsam –

HAUPTMANN Ich verstehe!

DER POPE Was?

HAUPTMANN Es scheint, wir müssen von vorne beginnen.

DER POPE Ich werde dir den Roggen verlesen . . .

Sie machen sich an die Arbeit.

HAUPTMANN Denke dir, Väterchen, wir haben noch nie unser eigenes Brot gebacken! Alles mußt du uns zeigen. Wir sind vom Himmel gefallen, so groß wir sind, gewissermaßen . . .

DER POPE Wir werden es lernen.

HAUPTMANN Wenn Jenny das sehen könnte! Meine Frau heißt Jenny.

DER POPE Du hast eine Frau?

HAUPTMANN Eine Frau, zwei Kinder, eine ganze Familie sind wir. Am letzten Abend, als wir uns sahen, ich war so verstimmt, ich weiß nicht warum . . . Ich war so verstimmt . . . Vieles muß anders werden! Ich meine, nach dem Krieg.

Wir hatten ein großes Geschäft; wir handeln mit Wolle. Das alles werde ich aufgeben. Mein Großvater hat seine Schafe noch selber geschoren! Ich werde mit Jenny wieder auf das Land hinausgehen, nicht für ein Picknick, verstehst du, nicht in die Ferien. Das Geld, das große Geschäft! meinetwegen dürfen es andere machen, ich werde sie nicht mehr beneiden, das ist die Freiheit. Meinst du nicht? Unsere Wagen, unseren Diener, unsere ganze Gesellschaft, das alles gebe ich auf, und Jenny wird glücklicher sein . . . Du schweigst, Väterchen?

DER POPE Ich höre dir zu, Hauptmann.

HAUPTMANN Vieles muß anders werden. Wir hatten ein Haus, verstehst du, es war uns viel zu groß. Ich habe es bauen lassen, damit die Leute uns beneiden. Um unser Glück, das dennoch nicht kam. Das Haus, es war so groß wie mein Ehrgeiz, verstehst du, und ebenso leer. Auch das werde ich aufgeben . . . Du schweigst, Väterchen?

DER POPE Ich höre dir zu, Hauptmann.

HAUPTMANN Aber du schweigst.

DER POPE Viele Brote müssen wir machen, viele Gäste werden noch kommen.

HAUPTMANN Gäste?

DER POPE Hörst du nicht, wie es wieder schießt?

HAUPTMANN Ich höre es immer weniger. Sonderbar! Vielleicht haben wir auch das überschätzt?

DER POPE Was meinst du?

HAUPTMANN Die Geschichte. Die Historie. Was man da hört.

DER POPE So ist es recht: ganz langsam mußt du es mahlen . . . immerzu . . .

HAUPTMANN Sag mal: wer ist eigentlich das Kind, das uns den Krug gehalten hat?

DER POPE Ich habe es nicht gekannt.

HAUPTMANN Es ging mir wunderlich! Unser eigenes Kind, es hätte das nicht anders gemacht, das mit dem Krug . . . ich liebe die Gebärde, die immer und überall gibt, solange es

Menschen gibt, und es wird mindestens so lange Menschen geben, als es Schlachten gibt –

DER POPE Sicherlich.

HAUPTMANN Reiche zerfallen, Völker erwachen, sie machen die Geschichte eines Jahrzehntes, eines Jahrhunderts, Staaten, Grenzen, Kriege. Das ist die Welt der Ereignisse! Wir redeten viel von ihr, die Zeitung, der Rundfunk, die Bücher der Geschichte melden nur sie, und je gräßlicher ihre Ereignisse waren, je tödlicher, um so eher hielten wir dafür, es sei die wirkliche Welt, die einzig wirkliche!

DER POPE Sehr wirklich ist sie schon.

HAUPTMANN Ich glaube, Väterchen, man hätte anders leben sollen, ganz anders, jedenfalls Jenny und ich . . . Unser wirkliches Leben, am Ende ist es im Anblick eines Kindes, das den Krug hält, im Wehen eines Windes, der durch die Bäume streicht, im Spiel eines endlosen Wassers, das über die fremden Steine rinnt – Warum haben wir nicht anders gelebt?

DER POPE Ich weiß es nicht.

HAUPTMANN Ich habe das Gefühl von einer ganz anderen Welt, Väterchen, die es gibt . . . eine Heimat, die uns nicht trennt! Wer sie nicht überall hat, der hat sie nirgends. Nicht alles ist eins! das meine ich nicht. Man kann den anderen kein Bruder sein, wenn man sich selber aufgibt . . . Ich habe das Gefühl von einer Heimat, die man hätte entdecken sollen, eine Heimat, die rings um die Erde geht – *Er bricht ab, lacht.*

Ich sage das: Man hätte anders leben sollen – als lebte ich nicht mehr!

Der Gefreite kommt mit verkohltem Holz und legt es hin.

DER POPE So ist es recht! Viel Brot müssen wir backen . . . *Der Gefreite entfernt sich wieder.*

Was zögerst du?

HAUPTMANN Viel Brot müssen wir backen, sagst du immer, und wenn wir so backen, Gott weiß, wie lange das geht, wir backen und backen – da frage ich mich plötzlich, woher das Korn?

DER POPE Ja, das Korn.

HAUPTMANN Woher?

DER POPE Ich glaube, die Lebenden werden es missen.

HAUPTMANN Sie werden Hunger leiden?

DER POPE Es ist das Korn, das man in all den Jahren und auf allen Feldern, wo die Schlachten waren, hätte pflanzen können. Der Krieg hat es getötet. So ist es unser Korn.

HAUPTMANN Das begreife ich nicht –

DER POPE Nun, ich denk es mir so.

HAUPTMANN Meinst du, Väterchen, daß auch Jenny wird Hunger leiden? Und die Kinder? Sie sind doch nicht schuld? Sie sind doch nicht schuld?

Der Leutnant kommt.

LEUTNANT Die Quelle ist offen.

DER POPE So ist es recht!

LEUTNANT Nun brauchen wir den Krug –

DER POPE Den Krug hat das Kind.

Der Leutnant geht.

Brav sind die Burschen . . .

HAUPTMANN Wie bist eigentlich du an diesen Ort gekommen?

DER POPE Das ist schon lange her.

HAUPTMANN Wann?

DER POPE Das war im letzten Krieg, im Krieg davor. Ich war Soldat –

HAUPTMANN Auch du.

DER POPE Ich hatte eine Braut und war Soldat. Mein Gott, was waren wir noch jung! Ich werde warten, bis du wiederkommst, sagte sie, und ich glaube noch heute: sie war schön. Sie winkte mit dem roten Tuch, wie es bei uns die Bauernmädchen tragen. Ich habe sie nicht mehr gesehen.

HAUPTMANN Wieso?

DER POPE Wir kamen an die Front, ich wurde verwundet und später gefangen. Drei Jahre lang war ich gefangen . . . Das Mädchen blieb mir treu, noch als es glaubte, daß ich gefallen sei. Später, als ich nach Hause kam, da wohnte sie schon lange im Kloster. Ob sie es je vernommen hat, daß ich nach Hause kam, das weiß ich nicht. Wir wollten Bauern sein wie unsere Eltern. Ich weiß auch nicht, ob meine Braut noch lebt. Ich konnte ihr nicht näher sein als hier.

HAUPTMANN Im Kloster.

DER POPE Ja, es war schon immer ein einsames Kloster, ein einziger Mönch war damals darin, ein kranker Russe. Wir machten zusammen den Altar, der nun wieder verschüttet ist. Am Sonntag sang er den Bauern, wir halfen ihnen bei der Ernte, wir trugen die Toten ins Grab, wir machten die Kerzen und hatten zwei eigene Ziegen. Eines Tages begruben wir auch ihn, und die Bauern, so gut sie es konnten, sangen für ihn . . . Dann, zwölf Jahre lang, war ich allein: bis dieser Abend kam.

HAUPTMANN Was für ein Abend?

DER POPE Wochenlang fuhren die fremden Panzer vorbei, Soldaten kamen ins Kloster, wollten alle Keller sehen und gingen wieder, eines Morgens brannte das Dorf, am Abend brachten sie die einundzwanzig Geiseln, ich mußte einen langen Graben schaufeln, dann ging es sehr schnell: sie mußten vor dem Graben stehen, Greise, Frauen, Kinder . . . sie haben gesungen, bis der Letzte erschossen war.

HAUPTMANN Das hast du selber gehört, Väterchen?

DER POPE Ich mußte schwören, daß ich es nicht gehört habe.

HAUPTMANN Und du hast geschworen?

DER POPE Ja.

HAUPTMANN Einen Meineid also –

DER POPE Ja.

HAUPTMANN Warum?

DER POPE Ich hatte Angst. Er zählte mit den Fingern. Bei

sieben hatte ich Angst. Ich schwor. Später kamen sie zurück und sagten: Wir glauben keinem Eide mehr!

HAUPTMANN Mit einigem Recht ...

DER POPE So wurde auch ich erschossen.

HAUPTMANN Und nun?

Karl, der sich erhängt hat, ist erschienen.

KARL Ich bin es, der sie erschossen hat. Ich tat es auf Befehl ... *Sie bemerken ihn nicht.*

HAUPTMANN Und nun?

DER POPE Es wird noch lange dauern, etliche auch von den Toten denken noch immer an Rache. Ich glaube, es wird noch lange dauern, bis nichts mehr zurückbleibt.

HAUPTMANN Wie meinst du das?

DER POPE Bis nichts mehr zurückbleibt, meine ich, von allem Gräßlichen, was geschehen ist.

HAUPTMANN Du redest ja, als wäre es ihre Schuld, daß man sie schändete, und sie sollen es abtragen, was Gräßliches geschehen ist?

DER POPE Darum allein, daß wir als ihre Opfer starben, darum sind wir noch keine guten Menschen gewesen.

HAUPTMANN Und jene, die es getan haben?

DER POPE Kümmere sich jeder um seine eigene Schuld.

HAUPTMANN Heißt das, daß du den Mördern vergeben willst?

DER POPE Ich bin nicht Richter, mein Freund, nicht einmal vergeben kann ich. Ich hatte Angst wie die meisten. Ich werde fischen, so gut ich kann, und ich werde ihnen das Brot backen, solange sie es verlangen, solange sie meiner bedürfen –

HAUPTMANN Und alles dies: wozu?

DER POPE Ich glaube, wir alle sind da, bis wir das Leben kennenlernen, das wir zusammen hätten führen können. So lange sind wir da. Das ist die Reue, unsere Verdammnis, unsere Erlösung.

Karl ist näher getreten.

KARL Ich bin es, der sie erschossen hat. Ich tat es auf Befehl...
Sie bemerken ihn nicht.

HAUPTMANN Ich verstehe, Väterchen. Aber ich weiß nicht, wie ich es meinen Burschen sagen soll; es sind so junge Menschen.

DER POPE Was mußt du ihnen denn sagen?

HAUPTMANN Benjamin – er hat ein Dichter werden wollen! Er sagte es mir am letzten Abend, als ich zum erstenmal mit ihm redete. Glaubst du, er wäre ein Dichter geworden?

DER POPE Vielleicht wäre vieles geworden.

HAUPTMANN Wie soll man es ihnen sagen: daß das schon der Tod ist, wo wir uns befinden – sie sind nicht gefaßt darauf; sie haben ja noch nie gelebt.
Man hört den Gesang.

KARL Nun singen sie wieder!...
Karl bricht auf die Knie.

HAUPTMANN Wer ist das denn?

DER POPE Jeder Weg führt ihn hierher, Karl heißt er, ein junger Mensch, der seine Mutter sucht.
Karl schreit.

KARL Ich bin es, der sie erschossen hat, ich bin es!

DER POPE Ich weiß es, Karl ... da ist eine Frau, die du erschossen hast; sie sagt, sie sei deine Mutter.

KARL Wie ist das möglich?

DER POPE Willst du sie sehen?

KARL Meine Mutter?

DER POPE Willst du sie sehen?

KARL Wie ist das möglich –

DER POPE Alle Mütter sind eins, Karl, alle Mütter sind eins... Willst du sie sehen?
Karl hält seine Hand vor die Augen.

KARL Herr Gott!

Maria allein.

MARIA Mag sein, nun ist der Frühling da . . . Es tropft von
den Bäumen, das ist der Schnee, der schmilzt; denn die
Sonne scheint auf die Erde. Sie scheint nicht überall hin;
hinter den Wäldern ist lange noch Schatten, da ist es kühl
und naß, wenn man vorbeikommt, der Boden schmatzt, da
fault noch das Laub der verlorenen Herbste. Aber der
Himmel, oh, zwischen den Stämmen ist überall Himmel,
ein Meer von Bläue. Ein Schmetterling ist da . . . Das alles
hast du nie gesehen, mein Kind, drum sag ich es dir: Es ist
schön auf der Erde, besonders im Frühling, da gurgelt es
nun überall, es klaffen die finsteren Furchen nach Licht,
und draußen verzetteln sie Mist, es dampfen die Rosse . . .
Das alles hast du nie gesehen . . . Die Paare, die leben, sie
tragen die Sonne wie schmelzendes Silber im Haare. Der
Abend ist warm: man hört seine Helle voll zwitschernder
Vögel, es ist, als spüre man die Luft, die wehe Erregung
der Knospen, die Weite der Felder . . . Du bist gestorben,
mein Kind, bevor du eine Knospe hast sehen können, einen
Vogel, der zu unseren Füßen hüpft, nicht einmal eine Krähe,
die über den braunen Acker fliegt – drum sag ich es dir: Es
ist schön auf der Erde, besonders im Frühling, da gurgelt es
nun überall, das ist der Schnee, der schmilzt, denn die
Sonne scheint auf die Erde . . .

Benjamin ist erschienen.

BENJAMIN Darf ich fragen, wo wir uns befinden? Ich bin ein
Flieger gewesen . . . Nirgends habe ich einen Menschen getroffen, den ich hätte fragen können. Sie haben uns abge-
schossen: mitten aus der Nacht, als es regnete. Das ist es.
Nun wissen wir nicht, wo wir uns befinden. – Ja . . .

MARIA Warum schweigen Sie auf einmal?

BENJAMIN Sie haben recht.

MARIA Wieso?

BENJAMIN Vielleicht sind wir Feinde . . .

MARIA Wir kennen uns ja nicht.

BENJAMIN Ich bin sehr froh, daß Sie da sind! Als ich durch die Felder stapfte, ein schöner Tag, die rötlichen Weiden, der letzte Schattenschnee, die Pferde, der braune Acker, der die Sonne schluckt, ein blauer Tag, ein Tag wie aus heiterem Glas, ein herrlicher Tag, weiß Gott, aber es kam mir vor, als wandere ich auf dem Mars; ich werde nicht froh.

MARIA Haben Sie denn unsere Bauern nicht gesehen, die um diese Jahreszeit den Mist verzetteln?

BENJAMIN Sie meinen den Greis, der nicht hört?

MARIA Die jungen Männer sind nicht auf dem Acker.

BENJAMIN Ich habe ihn gerufen. Ich glaube, er hört nicht. Ich habe aus Leibeskräften gerufen. Ich glaube, er sieht nicht; ich habe ihm den Ring gezeigt . . . Es ist der Ring unseres Hauptmanns.

Benjamin setzt sich neben Maria.

Ich bin so froh, daß Sie mich hören! Ich heiße Benjamin.

MARIA Ich heiße Maria.

BENJAMIN Schauen Sie, was ich gefunden habe –

MARIA Was ist das?

BENJAMIN Eine Versteinerung, glaube ich.

MARIA Versteinerung?

BENJAMIN Wir haben das in der Schule gelernt. Das ist ein kleines Tier gewesen; das hat gelebt, bevor es Menschen gab, Adam und Eva –

MARIA Weiß man das?

BENJAMIN O ja, man weiß sehr viel.

MARIA Wieso?

BENJAMIN Das, was Sie in den Händen halten, das ist der Schlamm eines Meeres, das einmal über unsern Ländern lag, eines uralten Meeres. Da lebte dieses kleine Tier und schwamm darin und starb, versank in Schlamm, der in

Jahrtausenden versteinerte. Es kamen die Gletscher, dann schmolzen sie wieder, wenigstens für eine Weile: ein Urwald blühte darüber, es kamen die Affen, die Menschen, die Griechen und die Chinesen, wenigstens für eine Weile ... Sehen Sie, wie schön es ist? Nur seine Form ist geblieben.

MARIA Ich glaube, das war eine Schnecke.

BENJAMIN Kann sein.

MARIA Nicht einmal eine Schnecke hast du gesehen, mein Kind!

BENJAMIN Sie haben ein Kind?

MARIA Ja, es ist tot.

BENJAMIN Haben wir es getötet?

MARIA Du?

BENJAMIN Vielleicht haben wir es getötet.

MARIA Sie sagten: der bloße Luftdruck ... ich wollte hinaus in den Wald, hinaus auf die Straße. Ich hatte es auf dem Arm, aber die Straße brannte. Und auf einmal war es mir aus den Armen gerissen, das ist alles, was ich noch habe sehen können.

BENJAMIN Vielleicht haben wir es getötet.

MARIA Warum schauen Sie mich so an?

BENJAMIN Wir hätten einander lieben können ... Ich habe noch nie ein Mädchen gekannt.

MARIA Nie?

BENJAMIN Oh, ich habe viele Mädchen gesehen, die mir Freude machten, wenn ich sah, daß sie in die gleiche Straßenbahn stiegen, oder vor dem gleichen Schaufenster verweilten, vielleicht mir zuliebe. Das schon! Ich bin auch öfter hinausgegangen, so wie hier; ich kenne den Frühling sehr gut, aber allein. Man sieht soviel, wenn man alleine wandert, man hört soviel —

MARIA O ja.

BENJAMIN Die Quellen.

MARIA O ja.

BENJAMIN Und um alles war immer so eine Erwartung . . .
Ich habe oft so gesessen, genau so, ich habe eine Pfeife ge-
raucht, wie ein Erwachsener, ich habe alles Mögliche gedacht. Wenn man auf dem Rücken liegt, die Hände unter
dem Kopf, und droben ziehen die Wolken, manchmal bin
ich sehr weit gegangen, immerfort, querfeldein, immerfort,
und dann, wenn es Frühling ist, man stapft durch den
Wald, zwischen den Stämmen ist nichts als der Himmel,
die Bläue, der Wind, kennen Sie das auch?

MARIA Was?

BENJAMIN Und um alles war immer so eine große Erwartung . . . besonders im Frühling . . .

MARIA Das kenne ich wohl.

BENJAMIN Ich habe noch nie mit einem Mädchen gesessen, so
wie jetzt; nach der Schule, da kam der Krieg, da wurde
ich Flieger –

Er betrachtet seinen steinernen Fund.

Ich glaube, wir hätten einander lieben können.

*Es erscheinen nun Herbert und ein Soldat, der Oberlehrer
mit verbundenen Augen.*

HERBERT Wir sind am Ort.

SOLDAT Besonderes Vorgehen?

HERBERT Geschossen wird auf die Brust.

SOLDAT Gewöhnlicher Verrat –

HERBERT Salve auf Befehl.

Der Soldat entfernt sich.

Machen Sie sich das Folgende klar: –

OBERLEHRER Daß ich erschossen werde. Ich weiß.

HERBERT Machen Sie sich das Folgende klar: Wenn Sie
rufen, niemand wird es hören.

OBERLEHRER Ich schreie nicht.

HERBERT Wenn Sie eine vorbildliche Haltung wahren, niemand wird es verhindern; denn niemand wird es sehen.

OBERLEHRER Schießen Sie!

HERBERT Geschossen wird nur auf meinen Befehl.

OBERLEHRER Was wollen Sie noch? Ich habe Briefe unterschrieben mit verbundenen Augen; was wollen Sie noch?

HERBERT Sie sollen erfahren, was Sie mit verbundenen Augen unterschrieben haben, nur dies.

OBERLEHRER Ich will es nicht wissen.

HERBERT Ob Sie es wollen oder nicht.

OBERLEHRER Schießen Sie! . . .

HERBERT Herr Oberlehrer!

Der Oberlehrer wendet den verbundenen Kopf.

OBERLEHRER Wer ist das, der so zu mir redet?

HERBERT Machen Sie sich das Folgende klar: Sie stehen nicht auf einem berühmten Gemälde, das man den Schülern zeigt, es ist kein Goldgrund hinter Ihnen – sondern eine Kiesgrube ohne Hoffnung, gesehen zu werden.

OBERLEHRER Wer ist das, der so zu mir redet?

HERBERT Machen Sie sich das Folgende klar: Ihr Tod, niemand wird ihn kennen, niemand wird ihn auf die Leinwand malen, man bewundert ihn in keiner Galerie, Sie sterben nicht mit den Gesetzen des Schönen, Vordergrund, Mittelgrund, Hintergrund, Führung des Lichtes –

OBERLEHRER Warum das alles?

HERBERT Warum?

OBERLEHRER In diesem Augenblick: Warum!

HERBERT Machen Sie sich das Folgende klar: Im gleichen Augenblick, da Sie erschossen werden – die Bauern verzetteln den Mist, die Vögel singen, die Soldaten essen aus ihrer Gamelle und zoten, ein Staatsmann redet im Rundfunk, ich selber werde eine Zigarette rauchen, ein anderer sitzt in der Sonne und fischt, die Mädchen tanzen, andere stricken, andere waschen das Geschirr, Schmetterlinge flattern über die Wiese, die Eisenbahn fährt weiter ohne den geringsten Ruck, andere sitzen in einem Konzert, sie klatschen einen rauschenden Applaus – Ihr Tod, Herr Oberlehrer, eine ausgemachte Nebensache: man bemerkt ihn überhaupt nicht auf dem Bilde der Wirklichkeit . . .

OBERLEHRER Woher kennen Sie mich?

HERBERT Aus der Schule, Herr Oberlehrer.

OBERLEHRER Wer sind Sie?

HERBERT Sie hätten mich kennen können. Sie hatten Zeit genug. Sie wollten den Menschen nicht kennen, ich weiß! Humanismus nennen Sie das —

OBERLEHRER In Gottesnamen, wer sind Sie?

HERBERT Ihr Schüler.

Er tritt zu ihm.

Ich werde Ihnen die Binde von den Augen lösen, damit Sie sich überzeugen können, wer ich bin.

Er reißt ihm die Binde ab.

OBERLEHRER Herbert — ?

HERBERT Zweifeln Sie keinen Augenblick daran, daß Sie erschossen werden.

OBERLEHRER Herbert — du bist es?

HERBERT Ich zeige Ihnen, was Sie uns niemals gezeigt haben: die Wirklichkeit, die Leere, das Nichts —

OBERLEHRER Ich verstehe nicht.

HERBERT Deswegen stehen Sie hier.

OBERLEHRER Weswegen?

HERBERT Ihre Hinrichtung ist eine vollkommene. Wir erschießen nicht Sie allein, sondern Ihre Worte, Ihr Denken, alles, was Sie als Geist bezeichnen, Ihre Träume, Ihre Ziele, Ihre Anschauung der Welt, die, wie Sie sehen, eine Lüge war — *Er wendet sich um.*

Gewehre laden!

Wieder zum Oberlehrer:

Wäre es wahr, was Sie uns gelehrt haben, all dieser Humanismus und so weiter, wie könnte es möglich sein, daß ich, Ihr bester Schüler, so vor Ihnen stehe, daß ich Sie, meinen Lehrer, wie ein gefesseltes Tier erschießen lasse?

OBERLEHRER Kann sein, daß ich selber nicht wußte, wie wahr es ist, was ich ein Leben lang lehrte; daß ich selber nicht ganz daran glaubte, was ich sagte —

HERBERT Das allerdings kann sein.

OBERLEHRER Ich begreife die Fügung, denn es ist kein Zufall, im Grunde kein Zufall, daß du es bist, Herbert, der dieses Verbrechen an mir vollstreckt –

HERBERT Nein, Zufall ist es nicht.

OBERLEHRER Oft habe ich von Fügung gesprochen; zum erstenmal glaube ich an sie!

HERBERT Es ist auch keine Fügung.

OBERLEHRER Sondern?

HERBERT Ich habe mich darum beworben.

OBERLEHRER Du?

HERBERT Ich.

OBERLEHRER Warum?

HERBERT Warum ... Erinnern Sie sich an den Morgen, als wir in das Lehrerzimmer kamen, es ging um die Freiheit des Geistes, die Sie uns lehrten; wir brachten das Lehrbuch und sagten Ihnen: diese und diese Herren wollen wir nicht. Wir drohten Ihnen, ja. Wir rissen die Seiten heraus, die uns nicht recht geben wollten, vor Ihren Augen. Und was taten Sie?

OBERLEHRER Ich konnte mich nicht wehren.

HERBERT Was taten Sie?

OBERLEHRER Ich hatte eine Familie, damals noch.

HERBERT Sie nennen es Familie, wir nennen es Feigheit, was zum Vorschein kam. Sie haben den Mut bewundert in den Versen unserer Dichter, ja, und ich selber bin es gewesen, der diese alberne Sache ins Rollen brachte, damals, ich wollte meinen Kameraden zeigen, wie es sich verhalte mit dem Geist, den sie selber nicht hatten, meine Kameraden, und den sie darum einen Schwindel nannten, dumm wie sie waren. Und wie verhielt es sich? Der Geist gab nach, wir klopften dran, und es war hohl. Das war die Enttäuschung! Die Kameraden hatten recht, so dumm wie sie waren; es war ein Schwindel, was man uns lehrte.

OBERLEHRER Und darum stehen wir hier?

HERBERT Es ist das Einzige, was ich im Augenblick glaube, und auch danach, wenn Sie auf diesem Boden liegen werden –

OBERLEHRER Was?

HERBERT Der Verbrecher, wie Sie mich nennen, er ist dem Geiste näher, er fordert ihn durch die Gewalt heraus, er ist ihm näher als der Oberlehrer, der vom Geiste redet und lügt ... Das ist alles, was ich sagen wollte.

OBERLEHRER Das ist alles –

HERBERT Ich werde töten, bis der Geist aus seinem Dunkel tritt, wenn es ihn gibt, und bis der Geist mich selber bezwingt. Man wird uns fluchen, ja, die ganze Welt wird uns fluchen, Jahrhunderte lang. Wir aber sind es, die den wirklichen Geist ans Licht gezwungen, wir allein – gesetzt den Fall, daß nicht die Welt mit uns zugrunde geht, weil es den Geist, den unbezwinglichen, nicht gibt.

Er wendet sich.

Zum Schuß fertig.

Er entfernt sich.

OBERLEHRER Das ist alles. Herbert ist mein bester Schüler gewesen ...

Aus der Ferne

HERBERT Ein Schuß: Feuern.

Stille

OBERLEHRER Nun haben sie geschossen.

Aus der Ferne

HERBERT Mir nach: Marsch.

OBERLEHRER Nun hören sie mich nicht mehr ...

Er steht unverändert.

BENJAMIN Ich glaube, er sieht uns. Ich werde ihn bitten, ob er mit uns kommt.

OBERLEHRER Können Sie mir sagen, wo wir uns befinden?

BENJAMIN Komme mit uns. Es ist ein Kloster, eine Art von zerschossenem Kloster; dort backen wir Brot, alle zusammen –

OBERLEHRER Wer?

MARIA Du hast es oft gesagt: Satane sind es, du möchtest sie nur einmal sehen, von Angesicht zu Angesicht.

Letztes Bild

Im hellen Vordergrund erscheinen die Überlebenden: Eduard als Offizier, Thomas, der einen Kranz trägt, Jenny im schwarzen Schleier und ihre beiden Kinder, wovon das größere ein Bub ist.

JENNY Hier also liegen sie begraben? . . .

EDUARD Ihr Tod ist nicht umsonst gewesen.

JENNY Am letzten Abend, als wir einander sahen, er war so verstimmt. Ich weiß nicht warum. Er war so verstimmt . . .

EDUARD Denken Sie jetzt nicht daran, liebe Jenny!

JENNY Wenn er wüßte, daß auch unser Haus in Trümmern liegt! Unser schönes und großes Haus; die Leute sind immer davor stehen geblieben – es war das beste Haus in unserer Stadt, sagten sie immer. Sein ganzer Ehrgeiz hing daran.

EDUARD Wir werden es wieder erbauen, Jenny.

JENNY So wie es war?

EDUARD Genau so. –

Zu Thomas, der den Kranz trägt: Du schüttelst den Kopf?

THOMAS Es ist schade um ihn. So wie er zuletzt war, unseren Hauptmann sollten wir haben, jetzt, da es Friede werden soll: Er würde anderes bauen. Es ist schade um ihn.

EDUARD Gib mir den Kranz –

THOMAS Auch Geiseln sollen hier begraben sein, heißt es. Einundzwanzig Leute aus dem Dorf. Es heißt, sie hätten gesungen, als man sie erschoß –

JENNY Gesungen?

THOMAS Wissen Sie, was die Leute sagen? Nun singen sie wieder! sagen sie: Immer wenn sie schießen hören oder

sonst wenn ein Unrecht geschieht, nun singen sie wieder!
Man hört den Gesang der Geiseln.
Einundzwanzig sollen es gewesen sein ...
Hinter den Überlebenden, die horchen, erscheint die Tafel der Toten: die einundzwanzig Geiseln, die in einer Reihe sitzen, ihr Brot in der Hand und mit geschlossenem Mund. Ferner der Pope, der sie speist, die gefallenen Flieger; Maria, der Oberlehrer. Und Karl, der immer noch vor den Geiseln kniet, seine Hand vor den Augen. Aber die Lebenden können nicht sehen, was hinter ihnen erscheint.

EDUARD Kameraden! Wenn ihr es wissen könntet: der Krieg ist aus, der Sieg ist unser –

HAUPTMANN Das ist Jenny, meine Frau. Das ist Jenny mit den Kindern. So gehen sie über die Straße, Jenny in Schwarz –

DER BUB Mama, warum weinst du denn?

JENNY Hier ist dein Vater, Kind. Hier ist dein Vater!

DER BUB Ich sehe ihn nicht.

JENNY Man kann ihn nie wieder sehen –

Jenny weint lautlos; der Hauptmann tritt hinter sie.

HAUPTMANN Jenny, ein einziges Wort, bevor du weitergehst.

JENNY O Gott, o Gott!

HAUPTMANN Wir hätten anders leben sollen, Jenny. Wir hätten es können.

JENNY Wo hast du die Blumen, Kind, wo hast du die Blumen?

DER BUB Sie sind ganz naß, Mama –

HAUPTMANN Unser Haus, Jenny, baue es nie wieder auf!

JENNY So schöne Blumen ...

HAUPTMANN Hörst du mich, Jenny?

JENNY Nun lege sie hin ...

DER BUB Wohin denn, Mama?

HAUPTMANN Unser Haus, Jenny, baue es nie wieder auf! Wir waren nicht glücklich darin, wir waren es nicht. Jenny! Wir hätten es werden können –

Die Blumen des Kindes liegen am Boden.

JENNY Was würde er Freude haben, dein Vater, wenn er
deine schönen Blumen sehen könnte! Wenn er sehen könnte,
wie lieb du bist –

DER BUB Du hast sie mir ja gegeben, Mama.

JENNY Du sollst ein Mann werden wie er –

HAUPTMANN Jenny!

JENNY Immer bist du sein heimlicher Ehrgeiz gewesen –

HAUPTMANN Hörst du mich nicht, Jenny?

JENNY Alles das Stolze, alles das Ehrenvolle, was dein Vater
in seinem Leben erstrebt hat –

HAUPTMANN Es ist ein Irrtum gewesen, Jenny, das meiste!

JENNY Du, sein Sohn, du wirst es weiterführen!

HAUPTMANN Jenny –

DER BUB Nun weinst du schon wieder, Mama?

Jenny verdeckt ihr Gesicht und wendet sich ab.

HAUPTMANN Sie hört mich nicht mehr, Väterchen. Sag du es
ihnen! Er soll die Schafe scheren, er soll mein Erbe nicht
sein. Sag du es ihnen: Besser werden als die andern, keinem
soll es verwehrt sein; besser haben als die andern soll es
keiner, bevor er der Bessere ist.

DER POPE Sie können nicht hören.

HAUPTMANN Rufe es ihnen!

DER POPE Sie werden es hören, einst, wenn sie gestorben sind.

Eduard legt den Kranz nieder.

DER FUNKER Nun legen sie den Kranz! Damit es ihnen wohler
ist, wenn sie gehen. Und auch die Schleife: so, damit der
liebe Gott sie lesen kann.

EDUARD Kameraden, die Stunde eurer stummen Anklage ist
da! Das alles, es muß und es wird seine Rache finden. Du
hattest recht! Es gibt keinen Frieden mit dem Satan ... Ich
hatte meinen Vater, meinen Bruder noch nicht verloren,
damals. Satane sind es; du hattest recht!

DER FUNKER Eduard –

EDUARD Kameraden! ...

DER FUNKER Nun meint er, wir verstehen uns.

EDUARD Was immer wir in Zukunft machen werden, in eurem
Namen wird es geschehen! Das Schwert des Richters liegt
in eurer Hand! Die Stunde eurer stummen Anklage ist da;
sie wird nicht überhört.

Eduard legt einen Offiziersdegen zum Kranz.

DER FUNKER Wir klagen nicht an, Eduard, das ist nicht wahr.
Wir suchen das Leben, das wir zusammen hätten führen
können. Das ist alles. Haben wir es denn gefunden, solange
wir lebten?

EDUARD In diesem Sinne, Kameraden, verlassen wir euer
Grab, nicht euer Gedächtnis; euer Tod ist nicht umsonst
gewesen.

HAUPTMANN Er ist umsonst gewesen.

EDUARD Das geloben wir!

HAUPTMANN Er ist umsonst gewesen ...

*Eduard tritt vom Kranz zurück, sichtlich erleichtert; er
zieht wieder seine Mütze an.*

DER FUNKER Väterchen, – sie machen aus unserem Tode, was
ihnen gefällt, was ihnen nützt. Sie nehmen die Worte aus
unserem Leben, sie machen ein Vermächtnis daraus, wie sie
es nennen, und lassen uns nicht reifer werden, als sie selber
sind.

Eduard hat Jenny den Arm geboten; der Ton ist anders.

EDUARD Gehen wir?

JENNY Ach ja ...

EDUARD Bevor es Abend wird.

JENNY Mein einziger Trost: daß wir alles wieder erbauen, so
wie es war –

EDUARD Genau so.

THOMAS Leider ...

EDUARD Gehen wir. Nehmen wir einen Imbiß. Wir haben
noch Zeit.

Sie entfernen sich, die Blumen bleiben am Boden zurück.

HAUPTMANN Es ist umsonst gewesen.

DER POPE Traure nicht, Hauptmann. Viel Brot werden wir

backen. Alles ist umsonst, der Tod, das Leben, die Sterne am Himmel, auch sie sind umsonst. Was sollen sie anderes sein.

BENJAMIN Und die Liebe?

DER POPE Die Liebe ist schön.

BENJAMIN Sage uns, Väterchen, ob auch die Liebe umsonst ist?

DER POPE Die Liebe ist schön. Benjamin, die Liebe vor allem. Sie allein weiß, daß sie umsonst ist, und sie allein verzweifelt nicht.

Er reicht den Krug einem nächsten, der Gesang wird lauter.

Inhalt

Max Frisch
Sein Werk im Suhrkamp Verlag

Gesammelte Werke in zeitlicher Folge. 7 Bände. Herausgegeben von Hans Mayer unter Mitwirkung von Walter Schmitz. Leinen

Band 1: Kleine Prosaschriften, Blätter aus dem Brotsack. Jürg Reinhart. Die Schwierigen oder J'adore ce qui me brûle. Bin oder die Reise nach Peking.

Band 2: Santa Cruz. Nun singen sie wieder. Die Chinesische Mauer. Als der Krieg zu Ende war. Kleine Prosaschriften. Tagebuch 1946-1949

Band 3: Graf Öderland. Don Juan oder die Liebe zur Geometrie. Kleine Prosaschriften. Der Laie und die Architektur. Achtung: Die Schweiz. Stiller. Rip van Winkle

Band 4: Homo faber. Kleine Prosaschriften. Herr Biedermann und die Brandstifter. Biedermann und die Brandstifter. Mit einem Nachspiel. Die große Wut des Philipp Hotz. Andorra

Band 5: Mein Name sei Gantenbein. Kleine Prosaschriften. Zürich-Transit. Biographie: Ein Spiel

Band 6: Tagebuch 1966-1971. Wilhelm Tell für die Schule. Kleine Prosaschriften. Dienstbüchlein. Montauk

Band 7: Kleine Prosaschriften. Triptychon. Der Mensch erscheint im Holozän. Blaubart

Gesammelte Werke in zeitlicher Folge. Jubiläumsausgabe in sieben Bänden in den suhrkamp taschenbüchern. Herausgegeben von Hans Mayer unter Mitwirkung von Walter Schmitz. Textidentisch mit der Leinenausgabe. st 1401-1407

Einzelausgaben

Andorra. Stück in zwölf Bildern. BS 101 und st 277

Biedermann und die Brandstifter. Ein Lehrstück ohne Lehre. Mit einem Nachspiel. BS 1075 und es 41

Bin oder Die Reise nach Peking. BS 8

Biografie: Ein Spiel. BS 225

Biografie: Ein Spiel. Neue Fassung 1984. BS 873

Blaubart. Eine Erzählung. Gebunden, BS 882 und st 2194

Die Chinesische Mauer. Eine Farce. es 65

Dienstbüchlein. st 205

Don Juan oder Die Liebe zur Geometrie. Komödie in fünf Akten. es 4

Erzählungen des Anatol Ludwig Stiller. Mit einem Nachwort von Walter Jens. Großdruck. it 2304

Forderungen des Tages. Porträts, Skizzen, Reden 1943-1982. Herausgegeben von Walter Schmitz. st 957

Max Frisch
Sein Werk im Suhrkamp Verlag

Fragebogen. BS 1095

Frühe Stücke. Santa Cruz. Nun singen sie wieder. es 154

Graf Öderland. Eine Moritat in zwölf Bildern. es 32

Herr Biedermann und die Brandstifter. Rip van Winkle. Zwei Hörspiele. st 599

Homo faber. Ein Bericht. Leinen, BS 87 und st 354

Mein Name sei Gantenbein. Roman. Leinen und st 286

Der Mensch erscheint im Holozän. Eine Erzählung. Leinen und st 734

Montauk. Eine Erzählung. Leinen, BS 581 und st 700

Schweiz ohne Armee? Ein Palaver. st 1881

Stich-Worte. Ausgesucht von Uwe Johnson. BS 1137 und st 1208

Stiller. Roman. Leinen und st 105

Stücke 1. Santa Cruz. Nun singen sie wieder. Die chinesische Mauer. Als der Krieg zu Ende war. Graf Öderland. st 70

Stücke 2. Don Juan oder Die Liebe zur Geometrie. Biedermann und die Brandstifter. Die große Wut des Philipp Hotz. Andorra. Leinen und st 81

Tagebuch 1946-1949. st 1148

Tagebuch 1946-1949. Tagebuch 1966-1971. 2 Bände in Kassette. Leinen und Leder

Tagebuch 1966-1971. Leinen, BS 1015 und st 256

Der Traum des Apothekers von Locarno. Erzählungen aus dem *Tagebuch 1966-1971*. BS 604 und st 2170

Triptychon. Drei szenische Bilder. Engl. Broschur und st 2261

Wilhelm Tell für die Schule. Leinen und st 2

Zürich-Transit. Skizze eines Films. st 2251

Wir hoffen. Rede zum Friedenspreis des Deutschen Buchhandels. Schallplatte

Max Frisch / Krzysztof Zanussi: Blaubart. Ein Buch zum Film von Krzysztof Zanussi. Herausgegeben von Michael Schmid-Ospach und Hartwig Schmidt. st 1191

Über Max Frisch

Begegnungen. Eine Festschrift für Max Frisch zum siebzigsten Geburtstag. Herausgegeben von Siegfried Unseld. Leinen

Max Frisch. Herausgegeben von Walter Schmitz. stm. st 2059

23/2/7.93

Max Frisch
Sein Werk im Suhrkamp Verlag

23/3/7.93

Deutschsprachige Literatur
in der edition suhrkamp:
Drama

Deutschsprachige Literatur
in der edition suhrkamp:
Drama

Deutschsprachige Literatur
in der edition suhrkamp:
Drama

301/3/3.95

Deutschsprachige Literatur
in der edition suhrkamp:
Prosa

300/1/3.95

Deutschsprachige Literatur
in der edition suhrkamp:
Prosa

Deutschsprachige Literatur
in der edition suhrkamp:
Prosa

300/3/3.95

ISBN 3-518-10154-4

DM 14.80
öS 110.00

9 783518 101544